Indice

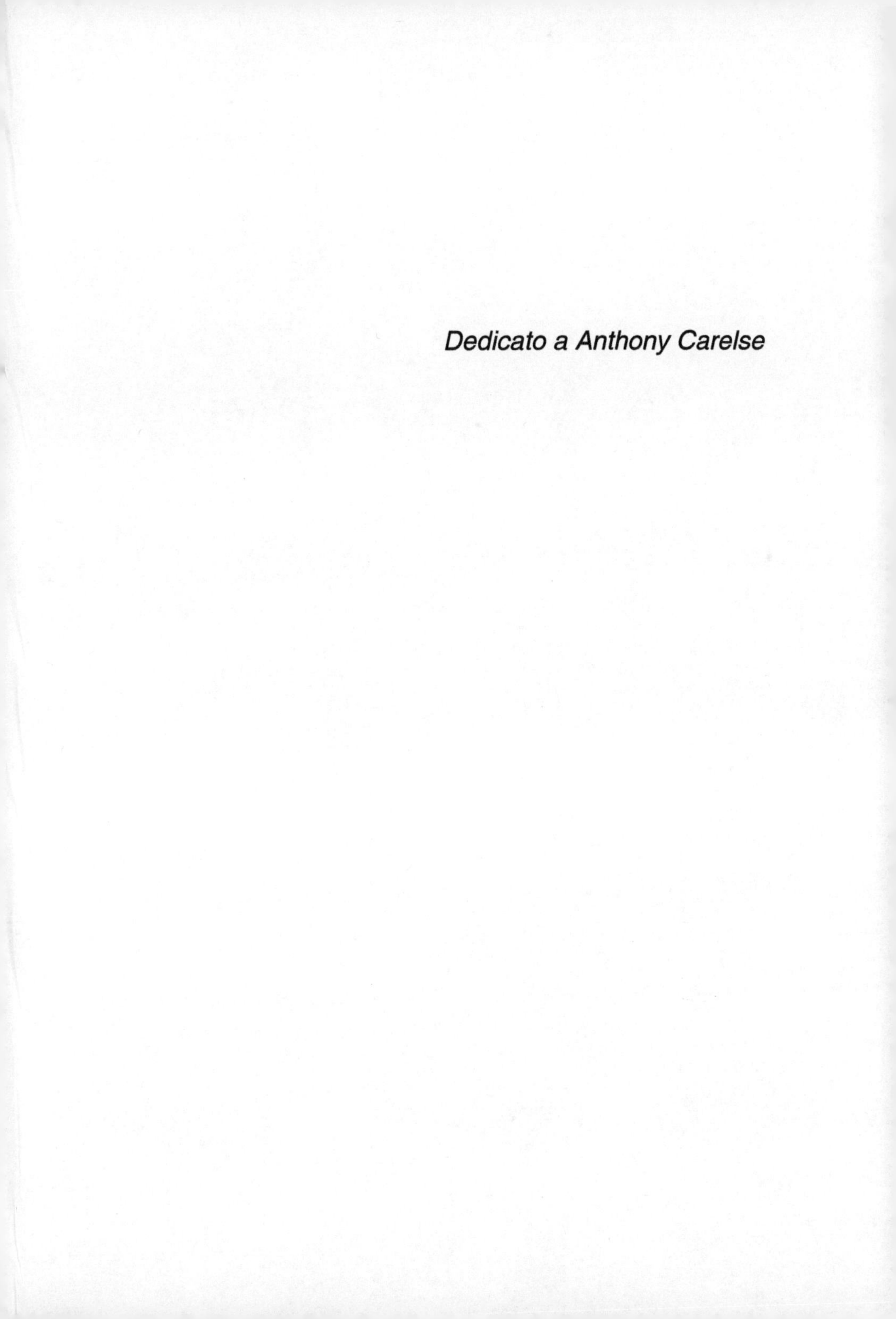

Dedicato a Anthony Carelse

PREFAZIONE

Quando David Carelse mi chiese di scrivere qualcosa nella prefazione del suo libro ho accettato volentieri per vari motivi.
L'argomento principale ossia l'approccio con lo strumento è molto importante sia a livello mentale che fisico.
La chitarra soprattutto all'inizio non è uno strumento considerato facile e proprio a livello fisico risulta ostico.
Infatti David, oltre ad essere riuscito ad iniziare molte persone alla chitarra "facile" dispensa utili ed importanti consigli nell'approcciarsi a questo strumento meraviglioso!
Per me la chitarra oltre ad essere fonte di ispirazione ormai da quasi quarant'anni è un incredibile mezzo per esprimere emozioni senza parole ☺

Andrea Braido

LA MAMMA
È SEMPRE LA MAMMA

Quando David iniziò la prima volta a suonare la chitarra, sembrava che questa fosse una esperienza comune a tutti i ragazzi che desiderano suonare uno strumento, ma ben presto tutti noi in famiglia ci siamo resi conto che il suo non era un amore passeggero, era una vera e propria passione, che cresceva nel tempo, fino a diventare espressione e creatività, spinta a interpretare piuttosto che ad eseguire, ciò che la musica poteva trasmettere, colorando con le note le emozioni.

Ed ecco, questa è un'altra occasione per sperimentare e condividere la Sua passione; è un incoraggiamento a chi vorrebbe dare voce a quella parte di sè ancora così silenziosa ma ricca di fascino.

Carla Leonardi
Mamma di David Carelse

Introduzione
Perché questo libro?

Avevo 10 anni quando vidi per la prima volta un plettro. Qualcuno lo aveva perso. Strano! Se ci fosse una classifica degli oggetti che spariscono inspiegabilmente, il plettro sarebbe sicuramente tra primi posti. Ci sono mille modi in cui può sparire: in lavatrice, per strada, mentre si paga (si, perché spesso i chitarristi tengono il plettro nel portamonete)...

Quel plettro rosso con la scritta "Fender" in bianco era lì, per terra, sull'asfalto. Qualcosa mi disse che dovevo raccoglierlo, anche se allora non sapevo ancora a cosa servisse, me lo dissero i miei genitori quando tornai a casa.

"È un plettro! Serve per suonare la chitarra."

Wow! Mi venne in mente che da qualche parte in casa avevamo una chitarra vecchia e scassata, apparteneva a mio padre e all'epoca aveva già oltre 30 anni ma soprattutto suonava ancora... per miracolo!

"Aspetta! Ma adesso che ci penso ho visto anche un libro da qualche parte con la foto di una chitarra in copertina... magari è un libro che insegna a suonare questo strumento!"

Era esattamente così e tra incoscienza, ignoranza e passione per la musica ho iniziato ed imparato a suonare completamente da autodidatta. Sono speciale? Assolutamente no. Ho un talento naturale? Io sono incredibilmente convinto di no e non sono neanche un fenomeno con la chitarra, ma sono riuscito a raggiungere un livello che mi permette di divertirmi, sfogarmi, emozionarmi e sentire la musica dentro di me.

"Ma allora qual è il segreto che ti ha permesso di imparare a suonare ad un medio livello, senza andare da un maestro?" (si, medio, perché ricorda che se il tuo obiettivo è diventare un professionista o il chitarrista migliore del mondo, devi abbandonare sicuramente la strada dell'autodidattica ed andare da un maestro che possa seguirti nel migliore dei modi).

Io credo di essere stato molto fortunato. Molte cose sono successe "per caso" e mi hanno permesso di avere sempre la giusta motivazione e passione per continuare, ma col passare del tempo, vedendo le decine di migliaia di chitarristi che ho aiutato a crescere con il metodo Chitarra Facile™ (www.chitarrafacile.com), ho scoperto che ciò che sembra succedere per caso si può far accadere volontariamente e con facilità. Si può allenare quella che io chiamo "La Mente del Chitarrista". E senza di quella... NON è possibile raggiungere l'obiettivo.

Ma cos'è la Mente del Chitarrista? Si tratta di un mix tra "cose da fare", "cose da pensare" e "modo di apprendere" che ho ideato negli anni per i miei allievi e raccolto in una serie di video che ho chiamato *#SenzaChitarra*, proprio perché si trattava di "lezioni" che era possibile seguire senza una chitarra in braccio.

Questi video però sono stati registrati di getto, in modo molto naturale e spontaneo. Ho deciso, quindi, di rivedere quei brevi filmati, metterli in ordine e spiegarli in maniera più dettagliata possibile, in modo da proporti, in questo libro, delle lezioni più intense e interessanti, mantenendo però quella spontaneità che avevo nei video (qualità che sembra piacere molto ai miei allievi del metodo Chitarra Facile™).

Quindi i contenuti di questo libro sono un aiuto "aggiuntivo" ai corsi che stai seguendo o che seguirai in futuro? No, le strategie ed i consigli che trovi in questo libro sono "complementari" al tuo percorso da chitarrista. **Non puoi farne a meno.**

Dopo aver seguito e visto crescere decine di migliaia di chitarristi, posso affermare che se non segui i principi che sono contenuti in questo libro e non sviluppi la Mente del Chitarrista, è quasi impossibile che tu riesca a raggiungere il tuo obiettivo con la chitarra, sia che si tratti di un obiettivo facile (vuoi solo divertirti con gli accordi) o magari più ambizioso (vuoi essere il protagonista di una band).

E tutti quelli che non leggono questo libro quindi non riusciranno mai ad imparare a suonare la chitarra? Non è detto. Molte persone applicano la maggior parte dei consigli e principi che troverai in questo libro... senza saperlo. Esattamente com'è successo a me (che c... Ehm... fortuna!). Ma vuoi sapere quante sono le persone che lo fanno senza saperlo? Te lo dice la Fender Musical Instrument Corporation. Il più grande produttore di chitarra a livello mondiale insieme alla Gibson, con grande preoccupazione, sostiene che oltre il 90% delle persone che decidono di imparare a suonare la chitarra, la abbandona entro il primo anno. Molti di questi poi, non arrivano neanche al primo mese.

I motivi che ho percepito dai miei studenti sono principalmente 2:

- Il metodo di insegnamento (ecco perché ho creato un metodo innovativo che segue la teoria del flusso dello psicologo ungherese Mihály Csíkszentmihályi, ovvero il metodo Chitarra Facile™)
- L'atteggiamento mentale (ecco perché questo libro).

Il metodo di insegnamento è certamente il più importante, non a caso l'ho scritto come primo motivo. Proprio per questo, il metodo Chitarra Facile™ è stato ideato in modo da aiutarti a creare automaticamente buona parte dell'atteggiamento mentale che ti serve.

Guido Nossardi Grazie per il tuo intervento David. La mia età dovrebbe dire tutto, ho smesso e ripreso più e più volte ma più in là non vado...... Però devo ammettere che caratterialmente mi mancano le motivazioni e le gratificazioni, cose che online non è facile trovare. Ecco il senso della battuta che non hai capito, mi sento talmente imbranato che mi sembra di buttare dei soldi, tanto non imparerei ugualmente, penso. Ogni volta ricomincio pieno di volontà poi dopo alcune settimane la chitarra piglia polvere e basta. Non c'è nessuna critic al tuo corso, che anzi mi sembra molto interessante e originale oltreché simpatico con la trovata di Stand by me in gruppo, in effetti ho un disperato bisogno di una spinta psicologica. Magari mi faccio un barattolo di nutella ed una chitarra nuova. 😂😂😂

Ma ricevere anche qualche consiglio sull'atteggiamento e qualche trucchetto mentale può facilitare molto il tuo percorso musicale! Ed è proprio questo, quindi, quello che vedremo in questo libro. NON leggerai nulla riguardo alla tecnica per chitarra, non ti spiegherò come si trovano le note, come si leggono gli spartiti, come si accorda la chitarra... per queste cose se vorrai potrai andare su www.ChitarraFacile.com ed iscriverti al corso gratuito! Puoi anche scegliere un altro corso, ognuno segue il corso più adatto alla propria situazione. Io ovviamente ti spingo a provare il mio.

Il mio consiglio è quello di leggere questo libro MENTRE stai imparando a suonare la chitarra, a qualsiasi livello tu sia. Non prima, non dopo. Durante. Quindi, se hai deciso di imparare a suonare la chitarra ma pensavi di leggere prima questo libro, iscriviti subito ad un corso, compra un libro che ti insegni a suonare, fai come meglio credi, ma comincia anche se hai una marea di dubbi.

Se invece già suoni da un po' di tempo, questo libro ti aiuterà ad essere molto più efficace. In sostanza riuscirai ad ottenere più risultati in meno tempo. Migliorerai di più. Farai un salto di qualità.

Ti consiglio di leggere subito i primi capitoli nel caso tu abbia provato ad imparare ma senza riuscirci (ti verrà voglia di provarci di nuovo), oppure se pensi di non aver talento o di non essere portato/a per la chitarra (cercherò di farti cambiare idea).

Io ho scritto questo libro con grande passione ed ho cercato di fare tutto il possibile, curando ogni piccolo dettaglio, affinché sia di grande valore e di aiuto per te. Tutti i consigli e le strategie che trovi qui non sono delle teorie ma si basano sull'esperienza mia e dei miei allievi. Quello che ha portato dei risultati a me e a loro, lo trovi in questo libro, ciò che invece pensavo funzionasse, ma che non ha portato risultati, te la presenterò come strategia da evitare.

Ti chiedo solo di tenere la mente aperta, perché è probabile che molte delle cose che troverai in queste pagine potrebbero sembrarti un po' strane. Non ti chiedo di fidarti di me e della mia parola, ti chiedo solo di provare. Provare deve essere il tuo mantra mentre leggi questo libro. Potresti anche testare delle strategie o dei consigli e poi non ottenere dei risultati soddisfacenti, questo perché ognuno di noi è diverso, ma è normale. Magari alla fine del libro applicherai solo il 10% dei consigli che funzionano sulla tua persona, ma quei consigli ti faranno fare dei grandi passi in avanti in termini di efficienza.
Bene, a questo punto non mi resta che augurarti una buona lettura e mi raccomando, ricordati di iscriverti anche al gruppo di Facebook ed al canale di YouTube di Chitarra Facile, perché sono ottimi strumenti che ti aiuteranno a raggiungere il tuo obiettivo nel più breve tempo possibile!

5 Passi per un'efficace Mente del Chitarrista

Come abbiamo visto precedentemente, quella che io chiamo "La Mente del Chitarrista" ti permetterà di avere vita facile con la chitarra. Ti permetterà di ottenere risultati con meno sforzo, esercitandoti e gestendo le tue sessioni di chitarra in modo SMART.

Ma il concetto di "Mente del Chitarrista" è molto ampio e complesso. Così ho deciso di riordinare questi pensieri in 5 "passi", che sono le 5 grandi sezioni che troverai in questo libro.

Il primo passo è *"Scopri il chitarrista che c'è dentro di te"*.

Questa sezione è dedicata soprattutto a chi deve iniziare da zero o chi ha mollato tempo fa e vuole ricominciare a suonare. Il concetto di questo passo è semplice: ognuno di noi può suonare la chitarra, ma qualcuno avrà sicuramente dei dubbi sul proprio talento, sulle proprie difficoltà, ecc...

Il primo passo serve proprio ad eliminare i primi dubbi e capire che effettivamente anche dentro di te c'è un grande chitarrista che deve solo essere allenato per riuscire a brillare, qualsiasi sia il tuo obiettivo, che si tratti di fare 4 accordi o che si tratti di fare dei grandi assoli.

Una volta tolti questi primi dubbi passiamo al secondo passo che si chiama "Riconosci gli ostacoli della Mente del Chitarrista ed eliminali".
Il percorso di un chitarrista è proprio come una gara ad ostacoli. Il problema è questo… hai mai provato a saltare un ostacolo che non sai com'è fatto, che non vedi e non sai cosa c'è dietro? Spero di no, perché sarebbe un vero disastro. Beh, quando stai imparando o stai cercando di migliorare con la chitarra succede proprio questo. Incontri degli ostacoli, ma non riesci a riconoscerli, non sai come sono fatti ed in certi casi non li vedi proprio. In questo passo del libro ti aiuterò a riconoscere le difficoltà e ti mostrerò come puoi eliminarle in modo semplice.
Gli scogli che troverai in questo secondo passo, sono proprio quelli che fanno mollare la presa alla maggior parte delle persone. Alcune di queste si arrendono quasi subito. Se anche tu hai abbandonato la chitarra e stai pensando di riprenderla di nuovo in mano è molto probabile che ti ritrovi in questi capitoli.

Dopo aver riconosciuto ed eliminato gli ostacoli possiamo passare alle vere e proprie strategie vincenti. Il terzo passo si chiama: "Le strategie dei chitarristi vincenti, migliorare con il minor sforzo".

In questa fase vedrai tutte quelle strategie che ti faranno realmente ottenere il massimo risultato con il minor sforzo possibile. Questo passo è il cuore della Mente del Chitarrista, dove metteremo il turbo alle tue abilità.

Ricordati che sono tutti metodi che hanno già funzionato per me e per i miei studenti, sono tutti consigli che vengono dall'esperienza e dai risultati di altre persone. Non sono solo teorie. Io sono una persona molto pratica, non parlo mai di teorie, parlo solo di fatti e cose che portano realmente dei risultati alle persone.

Il quarto passo è: "Diventa un chitarrista saggio". I consigli che troverai in questa sezione ti serviranno a non fare gli errori che solitamente commettono i chitarristi "giovani", quei chitarristi che sanno suonare molto bene, ma non hanno ancora una grande esperienza sotto alcuni aspetti che fanno una grande differenza nel suono e nelle proprie esecuzioni.

Spesso, a pari livello di tecnica, si sente lontano un miglio la differenza tra un chitarrista con poca esperienza ed uno con più esperienza. Ecco, questa sezione del libro ti aiuterà in parte a raggiungere un livello più alto.

Infine il quinto passo: "Cosa succederà in futuro?". Una sezione un po' misteriosa, ma sicuramente molto emozionante dove scopriremo come cambia la vita di un chitarrista anche grazie alle parole di alcuni dei miei allievi.

Bene, abbiamo visto una panoramica di quello che sarà il libro, ma prima di partire con il primo passo devo spiegarti anche un altro elemento fondamentale che compone queste pagine...

Storie di Neo-Chitarristi

Come ho anticipato prima, ho voluto rendere questo libro come un qualcosa di veramente speciale sotto diversi aspetti.

Uno dei problemi maggiori di chi inizia a suonare come autodidatta è che l'unico riferimento che ha è il maestro che vede in video (quando ho cominciato io non si poteva vedere neanche il maestro, c'erano solo i libri e qualcosa in video-cassetta). Il problema è che fai riferimento ad una persona che già suona da diverso tempo. Succede quindi che paragoni il modo di suonare del maestro al tuo e questo ti scoraggia molto, perché tu incontri delle difficoltà che non sai se possano essere comuni o se sono ostacoli che stai incontrando solo tu. Così credi di non avere il giusto talento per la chitarra.

Bisogna avere anche come riferimento, persone che sono più o meno al tuo stesso livello e che incontrano le tue stesse difficoltà. Ecco perché ho creato il gruppo di Facebook di Chitarra Facile, dove solo i principianti possono iscriversi e condividere i propri progressi con la chitarra. Non ci sono super-chitarristi, solo persone che stanno iniziando o cercano di migliorare.

In questo libro, però, non potevo inserire dei video di principianti, ma quello che abbiamo pensato, insieme agli allievi del mio corso di chitarra base completo dal titolo "Chitarra in 30 Giorni", è di introdurre delle storie di chitarristi principianti, raccontate proprio dai protagonisti.

In questi racconti potrai scoprire come hanno iniziato, le difficoltà maggiori che hanno incontrato ed i risultati che sono riusciti ad ottenere con un corso online per autodidatti. Probabilmente ti riconoscerai in molte di queste storie e potrai finalmente dire: "*Ma allora non succede solo a me!*".

Ho selezionato, quindi, alcuni dei racconti che i miei allievi mi hanno inviato. Molti di questi sono divertenti, altri sono in parte tristi, alcuni sono commoventi, insomma... sono vicende di persone normali con vite ordinarie e con tutti i sali e scendi che ognuno di noi affronta nel corso della vita.

Troverai quindi queste fantastiche storie alla fine di ogni capitolo con il titolo "*Storie di Neo-Chitarristi*". A partire da adesso...

STORIE DI NEO-CHITARRISTI

Ciao, sono Gianfranco Fusillo, ho 34 anni e sono di Cerignola.

Ho cominciato a pensare ad un corso di chitarra grazie ad un regalo che mi era stato fatto da mio padre, una chitarra classica che oramai ha la sua età.

Allora cominciai a guardare online dei corsi, visto che non ho la possibilità di frequentare dei maestri nelle vicinanze, perché qui in zona comunque non ce ne sono.

All'inizio mi sono imbattuto in un paio di personaggi, tra cui uno molto famoso, così inizio a vedere qualche video e fare qualche corso gratuito per testare i vari metodi di insegnamento, ma sinceramente non erano assolutamente alla mia portata.

Così, mi sono sorti dei dubbi, forse sarebbe stato troppo difficile, forse impossibile per quanto riguarda il tempo che avevo a disposizione.

Ma un giorno mi sono imbattuto in questo "TIZIO", un ragazzo molto simpatico e… normale! Nel senso che parla e spiega senza paroloni, come un principiante, anche se lui un principiante non è, ma gli è rimasta questa spontaneità, questa capacità di semplificare.

Lui spiega per noi persone normali, che vogliono apprendere, in modo semplice e divertente (come lui stesso spiega, il suo metodo non è per chi vuole diventare un professionista).

Ma non è finita qui, David ha anche creato il gruppo di Facebook di Chitarra Facile, dove ho conosciuto tanta gente alle prime armi come me, dove ci siamo scambiati dubbi, opinioni, consigli.

Ringrazio il maestro David, perché non è solo un maestro, ma è uno di noi, una persona semplice.

Gianfranco, dopo circa 1 anno di corsi con Chitarra Facile è riuscito a coronare uno dei suoi sogni… suonare Sultans of Swing dei Dire Straits.

Puoi vedere questa testimonianza video ed anche la sua esecuzione di Sultans of Swing a questo link (oppure cerca su YouTube "Testimonianza Gianfranco Chitarra Facile"):

https://www.youtube.com/watch?v=NXBRtCVKVyY

La storia di Rosy!

Ancora una cosa prima di cominciare.
Forse ti stai chiedendo perché io passi le mie intere giornate a cercare di insegnare a suonare la chitarra a più persone possibili.

È importante chiarire questo aspetto prima di cominciare con il primo vero passo di questo libro e sono sicuro che quello che leggerai in questo capitolo potrà farti vedere il mondo della musica sotto una diversa prospettiva.

Anche se per qualcuno può sembrare banale, sono sempre stato convinto che per fare grandi cose bisogna avere un grande "perché".

Potrei scrivere un libro intero per spiegare il motivo che mi spinge ad alzarmi ogni mattina con una grande voglia di vedere come stanno progredendo i miei studenti online, partendo dalla mia convinzione che imparare a suonare la chitarra (come anche altri strumenti) ti cambi completamente la vita e di come io sia onorato ad avere l'opportunità di iniziare centinaia di persone ogni giorno a questo magico mondo.

Potrei spiegare come la chitarra possa essere una valvola di sfogo, o un mezzo di comunicazione per i sentimenti...

Potrei spiegare come lo studio della chitarra rende più intelligenti allenando entrambi gli emisferi del cervello...

Potrei, ma credo che il modo migliore per farti capire qual è il mio vero carburante è farti leggere una delle commuoventi, ed a volte delicate (come in questo caso), "lettere" che mi arrivano per email ogni giorno.

La lettera che ti sto per mostrare è molto delicata e ti fa capire quanto "suonare la chitarra" sia molto di più di quello che le persone di solito pensano.
Ringrazio infinitamente Rosy per avermi dato la possibilità di pubblicare queste parole e pensieri molto personali che lei, di sua spontanea volontà, mi aveva scritto dopo aver ottenuto i primi risultati con la chitarra grazie ai miei corsi.

Rosy, 45 anni, Roma

"Ciao David!!

Ho letto e ascoltato con molta attenzione e passione tutto quello che dici nei video che ci hai mostrato e trasmesso, e ho anche sentito molto la tua forza nel voler riuscire e condividere tutto il lavoro che hai fatto veramente con il cuore. Per te e per tutti noi.

Tra le righe hai raccontato la tua storia ed io voglio raccontarti la mia, se me lo permetti.

Sai, ho avuto per anni accanto una persona meravigliosa. Cantava. Suonava. Suonava la chitarra e io per tutti questi anni sono sempre rimasta incantata a sentirla suonare. Comprai una chitarra, ma non avevo motivo di imparare. Mi bastava la sua musica, la sua melodia.

Il 10 ottobre di quest'anno è volata via per un tumore. Era la MIA MIGLIORE AMICA. Cado in una sofferenza abissale, quando un giorno mi ritrovo così, senza pensare con la chitarra (acustica) in mano, rendendomi conto che... "non la so suonare"!

Allora lì in quel momento, trovo finalmente la motivazione per iniziare ad imparare. Imparare sul serio stavolta. Perché solo così potrò renderla viva in me e con me per sempre. Inizio a cercare corsi online, ma nessuno mi aveva soddisfatta. Poi incontro per caso un tuo video su YouTube.

Mi trasmette una grinta e voglia di imparare pazzesca!! Proprio per la tua semplicità. Prendo e riprendo sempre più spesso la chitarra in mano. Mi rende felice. E allora penso che sarà il mio primo natale senza la mia migliore amica.

Voglio farle/mi un regalo. Ogni anno per natale si buttano via tanti soldini (e per chi va avanti da solo/a nella vita può capirmi) per cose che magari dopo vieni a sapere che non sono neanche piaciute. E allora mi sono detta: quest'anno ci sono io al primo posto!! Non più gli altri. Mi faccio un bel regalo!!

Acquisterò il corso online completo!! E lo farò!! Quindi voglio concludere facendoti arrivare un GRAZIE DI CUORE per avermi ridato e ripeto, trasmesso di nuovo la voglia di fare, di combattere, di VINCERE! Perché si può!!

Ps: scusa se mi sono lasciata andare, ma spero che tutto questo possa essere utile ad altri che come me pensavano di non poter più "risalire" per apprezzare le piccole cose che possono renderle felici.

GRAZIE DI CUORE A TE ED A CHI HA LAVORATO CON PASSIONE DIETRO A TUTTO QUESTO."

Dopo aver letto questa lettera, beh… Non c'è niente da aggiungere!

Serve che ti spieghi ancora perché mi impegno così tanto nel mondo della didattica della chitarra? Serve che ti dica cosa ti perdi se non cominci anche tu a provare a suonare la chitarra ora?

Il mondo della musica è pieno di persone che sono convinte di avere la verità assoluta in tasca. Alcune di queste, quando vedono il mio corso online dicono: *"Pfff… un corso online?? Impossibile imparare così"*, oppure *"Imparare per divertirsi?? La musica è una roba seria e bisogna fare esercizi noiosi 4 ore al giorno tutti i giorni!!"* e altre cose di questo tipo…

Dedico attenzione a questi commenti? Certo! Mi faccio delle domande? Certo! Ma poi ricevo email come quella di Rosy, tutti i giorni, persone che mi mandano video dicendo di essere super emozionate perché finalmente sono riuscite a suonare qualcosa grazie al mio corso online… e allora capisco che sono sulla strada giusta e che sto letteralmente aiutando le persone a migliorare la propria vita.

Non sono io che miglioro la vita eh! Ci mancherebbe, io sfortunatamente non sono capace di questo. È la musica a farlo! Io servo solo come guida per aiutare le persone a raggiungere l'obiettivo.

Da sempre ho 2 grandi passioni nella vita: la chitarra e internet. Ho voluto mettere insieme queste due passioni al servizio degli altri. Questa cosa mi piace infinitamente ed a quanto pare, guardando le testimonianze che ricevo, sembra che ogni tanto mi riesca anche abbastanza bene.

PARTE 1:

SCOPRI IL CHITARRISTA CHE C'È DENTRO DI TE!

Hai Talento per la Chitarra?

"Il chitarrista è quello che di nascosto sta ore a provare, ha male alle dita, pensa di non essere capace, molla tutto, riprende... e poi suona con il sorriso davanti a persone che pensano... "Ha un talento innato!" "

David Carelse

Stavo provando il tuo primo video dove in teoria si suona in un'ora 😂😂

Riuscirei a far stonare anche il campanello di casa mi sa

Non posso che cominciare con un pensiero che potrebbe esserti arrivato nella mente ancora prima di provare a cominciare a suonare. Spesso, chi pensa di iniziare a suonare si chiede:

"Ma io avrò il giusto talento per suonare la chitarra? Sono portato per questo strumento?"

Adesso dirò qualcosa che potrebbe disorientare molte persone. Alcune di queste potrebbero prendermi per un pazzo, ma dirò una cosa assolutamente soggettiva, nel senso che si tratta semplicemente di una mia teoria e non voglio farla passare per verità assoluta (anche perché su questo argomento la verità assoluta non esiste).

In ogni caso, ci credo molto in quello che ti sto per dire e credo molto anche che questo modo di pensare, anche se potrebbe non essere scientificamente corretto, è comunque il modo giusto per ottenere i migliori risultati.

Ok, preparati... vado?

PER ME IL TALENTO INNATO NON ESISTE

Il mio pensiero è: nessuno nasce con qualcosa in più, al massimo ci si può trovare in un ambiente più favorevole o magari fare delle esperienze tali da agevolare la persona in un settore rispetto ad un altro.

Faccio un esempio molto banale. Immaginiamo un bambino con il padre chitarrista che magari ogni tanto gli suona qualcosa davanti. Il bambino fissa la chitarra, ascolta i suoni. È molto probabile che stia già assimilando molte informazioni utili per l'apprendimento della chitarra (grazie ai neuroni specchio, un argomento che non approfondirò in questa sede). In questo modo, se a 10 anni gli viene voglia di suonare la chitarra (proprio perché ne ha già a casa), probabilmente gli riuscirà un po' meglio e più velocemente di qualcuno che vede la chitarra per la prima volta a 20 anni.

Questo, molto spesso, dalla società viene interpretato come un *"va beh, per lui è facile, ha la musica nel sangue!"*. Si dice così quando si ha un genitore musicista, no?

Per me nessuno nasce predisposto, ma è pur vero che in base alle esperienze che facciamo mentre viviamo la vita di tutti i giorni, ci mettiamo nelle condizioni di assimilare alcune informazioni piuttosto che altre.

Detto questo, ho seguito decine di migliaia di chitarristi nascere e crescere da zero! Non ho mai visto nessuno, e ripeto... NESSUNO, che non si sia dovuto sbattere per ottenere un risultato. Non ho mai visto nessuno a cui non è venuto male alle dita. Non ho mai visto nessuno dire *"Aspetta che provo il barrè... ah... mi è riuscito perfetto al primo colpo!"*. Ho visto molte persone imprecare diverse divinità perché non riusciva il passaggio da un accordo all'altro. Non ho mai visto nessuno che non abbia perso almeno 10 plettri nella cassa armonica della chitarra per colpa di una plettrata verso l'alto venuta male o perché semplicemente scappava il plettro...

Neanche quelli più predisposti e "talentuosi" di tutti!

Se poi, veramente una persona attraverso le esperienze che fa nella vita, si predispone meglio alla chitarra ed alla musica in generale, la grande differenza non si vede all'inizio del percorso, ma quando si raggiungono i più alti livelli. È lì che si nota l'abilità ed il talento (che non è innato però, quello per me non esiste).

Ripeto, magari scientificamente mi sbaglio. In ogni caso... tu pensala come me. Pensarla diversamente non ti porterà da nessuna parte. Invece se credi, ne sono sicuro, che partiamo più o meno tutti allo stesso livello, ti rendi conto che non ci sono scuse.

Poi ci sono quelli magari più agevolati per questioni di età o per questioni fisiche. Io ho molti studenti che hanno superato i 60 anni. Ovviamente vanno leggermente più a rilento di chi ha 10 anni, ma il risultato lo ottengono ugualmente! Riescono comunque a divertirsi suonando le proprie canzoni preferite.

Chi ha le dita lunghe ed agili è leggermente più facilitato, ma ci sono una marea di chitarristi famosi, con dita molto corte e tozze! Addirittura nel podcast "Chitarra da Bar", che puoi trovare su iTunes o sulle varie applicazioni per l'ascolto di podcast, io ed il mio co-conduttore Gep (Giuseppe), abbiamo fatto una puntata intera parlando delle bellissime storie di chitarristi che abbiamo chiamato "Invincibili", che poi se vogliamo dirlo con le parole giuste sono "disabili". Alcuni addirittura sono senza braccia e sono riusciti comunque a suonare la chitarra con i piedi. E la suonano molto bene!

Quindi capisci che è tutto relativo! Hai le dita corte? Pensa a Mark Goffeney che suona con i piedi! Lui ci ha messo di più per imparare? Forse si, ma intanto lui adesso si diverte un sacco!

Insomma, io non credo nel talento innato, ma credo nel "farsi il mazzo". Tutto quello che ottieni te lo devi prendere con la forza. E sono convinto che questo si possa applicare in qualsiasi ambito. Ho sempre creduto che l'impegno venga sempre ripagato (a parte rari casi). Nel mondo della chitarra è assolutamente così.

Certo, ci sono cose che possono aiutare a facilitare il percorso, come ad esempio un metodo o un percorso didattico adeguato alla tua situazione. Per esempio, se vuoi imparare a suonare per passione, per divertimento e per eseguire le tue canzoni preferite, è inutile che tu ti iscriva al conservatorio, il metodo fatto su misura per te è quello di Chitarra Facile™.

Tutti noi chitarristi, che siamo riusciti ad arrivare ad un buon livello per suonare le nostre canzoni preferite, ci siamo fatti il mazzo. Molto! È stato facile?? Assolutamente no! Ma l'impegno e la tenacia sono un piccolissimo prezzo da pagare per avere una grande ricompensa, quella di poter creare da zero la magia della musica!

STORIE DI NEO-CHITARRISTI

Mi chiamo Mario Mencherini alias "Ultimo Gigante" vivo ad Arezzo e sono pensionato.

La mia è una storia semplice e comune a molti altri credo.

Ho prestato servizio nell'Arma dei Carabinieri; diciamo che prima della mia passione per la chitarra, c'era quella del canto perché fin da sempre sono stato fan di Celentano e successivamente di Battisti.

Poi in caserma, nelle ore libere, ho composto anch'io delle canzoni, alcuni commilitoni le hanno accompagnate con la chitarra ed il risultato mi è sembrato buono.

Per questo ho deciso di acquistare una chitarra ed imparare i vari accordi tramite diversi manuali, finché un giorno su Youtube ho scoperto il metodo Chitarra Facile di David, ma poiché nel frattempo mi è subentrata la patologia del morbo di Parkinson ogni momento non è adatto per suonare.

Tuttavia i consigli che il corso fornisce mi sembrano ottimi per divertirmi, non certo per dover fare esibizioni in pubblico. Non credo personalmente di poter riuscire al meglio. Un caro saluto.

Mario

Sembra Impossibile

"Sembra sempre impossibile finché non ce la fai"

Nelson Mandela

Sembra impossibile all'inizio vero? Per molte persone il primo approccio con la chitarra disorienta e demotiva molto. Prima guardano con quanta facilità suonano "quelli bravi" e poi quando iniziano a provare prendono una chitarra in mano e si rendono conto del fatto che il solo far suonare una nota è doloroso. E poi non suona neanche così bene come dovrebbe essere.

Il fatto è che, come diceva Mandela, tutte le cose sembrano impossibili fino a che non raggiungi l'obiettivo. Ma io voglio aggiungere anche un altro aspetto. Perché all'inizio è vero, sembra tutto impossibile, ma poi quando ce l'hai fatta sembra quasi sia stata una passeggiata, perché ti dimentichi di quanta fatica hai fatto e quanto impegno c'è voluto per arrivare fino a lì.

Però è normale essere disorientati all'inizio. Anche a me è successo. Non voglio illuderti che sarà un'impresa facile... Il mio metodo non si chiama Chitarra Facile perché è facile suonare la chitarra, ma si chiama così perché è il metodo più semplice che puoi trovare per imparare da autodidatta.

Quando prendi in mano una chitarra per la prima volta, ti rendi subito conto di quanto tu sia ancora distante da un risultato minimamente decente, anche solo per riuscire ad arrivare ad un livello minimamente accettabile, un livello in cui le persone finalmente non fanno brutte smorfie e falsi sorrisi mentre ti ascoltano.

A questo proposito ringrazio mia sorella Anna per non aver mai fatto dei finti sorrisi, anzi... lei accentuava le smorfie di dolore mentre mi ascoltava durante i miei primi passi con la chitarra. Questo in realtà mi ha permesso di non esaltarmi troppo per via degli esagerati complimenti dei miei genitori e mi ha dato la motivazione per continuare a cercare di migliorare la mia tecnica al fine di cancellare quelle smorfie che comparivano nel viso della mia simpaticissima sorella (in realtà devo ammetterlo... è veramente simpatica e le voglio anche molto bene, ma non dirglielo).

Una volta raggiunto un ottimo livello "medio", dimentichi tutto il percorso ad ostacoli che hai dovuto superare. È la magia della musica, il fatto che tu ti diverta a suonare e creare delle melodie, ti fa completamente dimenticare i sacrifici che hai dovuto fare.

Mi succede spesso di leggere delle email di persone che mi scrivono perché sono preoccupate del fatto che a loro sembra impossibile e credono di non essere portati. Mi basta scrivergli due righe per motivarli un po' e poi aspettare qualche mese per ricevere una seconda email, dalle stesse persone, che mi dicono che riescono a suonare le loro canzoni preferite con facilità e che *"alla fine è stata una passeggiata"*.

Eppure non dicevano lo stesso qualche mese prima. Non sembrava proprio questo l'atteggiamento mentale dalle prime email. Eh si, è proprio così. Sembra tutto impossibile fino a che non ce l'hai fatta! Aveva proprio ragione quel Mandela li!

Ma come fare quindi a superare quella paura iniziale dell'"impossibile"?

Come ho già detto non funziona così solo per la chitarra, questa "legge" funziona per qualsiasi ambito, soprattutto per obiettivi impegnativi. La cosa positiva però è che nella tua vita hai sicuramente già passato un momento di questo tipo... e l'hai anche superato alla grande.

Un esempio potrebbe essere quello degli esami per il diploma! La prima cosa che ho pensato quando avevo finito la quarta superiore e mi accingevo ad andare in quinta era... "Ma io che sono una frana nello studio, come caspita faccio a superare 3 prove scritte ed una orale? Senza contare che dovrei portare a termine un lavoro così impegnativo come quello della tesina". Sembra impossibile, ma ne sono uscito alla grande.

Probabilmente anche tu hai passato gli esami per il diploma, ma se non hai ancora quell'età forse hai già passato quelli delle medie o quelli delle elementari!

Insomma, se ci pensi nella vita hai sicuramente passato un momento di questo tipo, te lo assicuro. Magari quando hai imparato ad andare in bici da piccolo. Oppure per i più grandi, quando hai dovuto cercare lavoro. Trovare un'occupazione sembra veramente impossibile fino a che non ci riesci.

Elisa, la mia compagna con cui convivo, è farmacista. Dopo la laurea si è impegnata molto per trovare un lavoro per diventare indipendente dai suoi genitori, però è riuscita a trovare solo un posto abbastanza lontano. Era necessario prendere l'autostrada e per questo non le conveniva neanche tornare a casa in pausa pranzo. Una "piccolissima" pausa pranzo di 3 ore e mezza. 3 ore e mezza buttate via perché se tornava a casa, tra costo dell'autostrada e carburante avrebbe speso già una bella parte dello stipendio.
Ovviamente ha accettato il lavoro perché tra un lavoro distante ed il nulla... ha preferito lavorare.

Ma non finiva qui. Nel posto in cui lavorava, per diversi motivi, non si trovava bene. Tutte queste cose messe insieme dopo un po' di tempo hanno cominciato a pesare molto.

Mi ricordo molto bene il periodo in cui ha cominciato seriamente a cercare un nuovo lavoro. Il fatto è che sembra impossibile e ti prendi pure delle grandi sportellate in faccia quando porti un curriculum o quando fai dei colloqui. E questo demotiva molto! Fino quasi a non credere più che ci sia una qualche possibilità.

È così anche con la chitarra. Non solo all'inizio sembra impossibile, ma potresti anche prendere tante delusioni senza vedere risultati.

Ma se stringi i denti, il premio che ricevi è molto importante!

La mia compagna ha tenuto duro per molti mesi, in cui ogni giorno provava a cercare un nuovo lavoro, si presentava di persona nelle varie farmacie, faceva colloqui, si iscriveva alle agenzie interinali, ma alla fine è stata ripagata alla grande. È riuscita a trovare lavoro vicino a casa, in un ambiente di lavoro di gran lunga migliore e con un modo di lavorare completamente diverso e più appagante.

Insomma, ne è valsa la pena. Ne vale sempre la pena quando stringi i denti e continui ad impegnarti nonostante le delusioni e la fatica! Assicurato.

Quindi cerca di mettere da parte le emozioni negative che potresti provare all'inizio (o anche nel momento in cui sai già suonare e vuoi fare di più). Prendi coscienza del fatto che sono difficoltà capitate a tutti e cerca di ignorarle. La ricompensa sarà molto più interessante dello sforzo che dovrai affrontare.

STORIE DI NEO-CHITARRISTI

Ciao David, sono Roberto.

Ad oggi sono impiegato presso un provider telefonico. Sin da bambino ho sempre ascoltato musica di tutti i generi dalla classica al rock ma la mia carriera di musicista si era conclusa alle scuole medie con una breve, ma soddisfacente pratica nel flauto dolce.

Anche se impazzivo per i Jethro Tull la mia idea di passare al flauto traverso… rimase solo un'idea.

Nella vita, la curiosità di scoprire come funzionano le "cose elettriche" mi ha portato a fare l'ingegnere elettrico (ma tranquillo non ti tedio col curriculum ;-)) ma poi mi sono appassionato ai routers ed ai computer diventando "informatico".

In definitiva erano un paio di anni che pensavo: "Mi piacerebbe saper suonare la chitarra". Quest'anno sulla soglia dei 52 ho realizzato che di quelle attività che erano solo passatempi, sono riuscito a farne un lavoro.

Girando per la rete rimuginando sulla mia idea di suonare ti ho incontrato su YouTube e mi è piaciuto il tuo modo di fare marketing ed ho osservato le cose che metti in rete.
Volendo scoprire le mie capacita ho preso l'attrezzatura minima per cominciare riservandomi un bel premio in futuro nel caso riuscissi ad ottenere risultati.

A me serviva un guru che mi indicasse la strada e tu sei un ottimo motivatore e di ciò, si vede, ne sei consapevole. Una volta deciso ho iniziato. Sono entrato in quello che per me è un ambiente tutto nuovo e da scoprire, la gente, le note, le chitarre…

Sono ancora all'inizio e le difficoltà sono le solite: la mano sinistra che non allarga e non fa quello che vorrei e la destra che riscopre plettrate a ritmi mai sperimentati dai migliori musicisti. Ma quando scopro che riesco a fare una cosa nuova, o solo la abbozzo, rimango con un sorriso da ebete per delle ore aspettando la prossima suonata!

Anche se gli accordi non suonano sempre bene sto abbozzando la terza canzone (Wonderful Tonight) e nel frattempo miglioro "Knocking on Heaven's Door" ed "Hey Joe": l'altra settimana ed in quest'ultima sono riuscito a completare un motivo usando il mignolo facendo un mini-riff sul Mi grave!

Ecco come mi sta cambiando la vita: praticamente torno bambino e faccio volare la fantasia e ogni volta che suono per me, citando il Liga, "è Venerdì".

Mi piace dire che "suono sotto la doccia" per divertirmi e senza pubblicizzare, ovvero per me e per il mio diletto, e quando riesco vengo ripagato abbondantemente degli sforzi.

Un'altra cosa, ma questa è colpa tua: adoro ascoltare concerti alla TV o in rete ad occhi chiusi, godere delle armonie che sia Beethoven o AC/DC. Ma da quando ho imbracciato la chitarra mi sorprendo con gli occhi sbarrati a guardare accordi e capire come producono i suoni e le tonalità.

Ps: Ti mando una foto, lo faccio raramente, ma ti segnalo una chicca: se ingrandisci vedi la maglietta da collezione dell'Hard Rock Cafè di

Barcellona. Questa non la trovi più… è un po' datata :-)

Sbattere la testa...
per quanto puoi durare?

"Mentre io, dopo un paio di anni di noioso conservatorio di chitarra mi sono rotto le scatole ed ho smesso, quelli che io prendevo in giro ed hanno iniziato facendo 4 accordi... sono diventati bravi. Alcuni lo fanno di mestiere"

Piernicola De Maria

Più avanti parleremo anche di questo aspetto, ma in generale io sono convinto dell'efficacia di continuare a cercare di migliorarsi in quello che si fa. Di non sentirsi mai arrivati.

Porto avanti questa filosofia e cerco di trasmetterla ai miei allievi, in modo molto determinato con il mio nuovo programma Guitar Sniper (www.guitarsniper.com) dove seguo i miei studenti ogni mese utilizzando il potere del focus per fargli fare grandi passi in avanti con la chitarra.

Per questo motivo, personalmente non mi sono mai sentito "arrivato" neanche come "insegnante" (in realtà non mi piace molto farmi chiamare insegnante o maestro, preferisco "guida"). Continuo costantemente a cercare di migliorare i miei corsi per creare un'ottima esperienza per i miei studenti. Non sto parlando di fare video più belli, audio migliorati, ecc... Parlo di trasferire al meglio le mie abilità verso di te, cercando di guidarti da zero e farti ottenere anche risultati migliori dei miei.

Ho parlato con molti insegnanti di chitarra e grazie al mio sito ho avuto la fortuna di conoscerne una valanga. Ho parlato personalmente con quelli che, dall'inizio, avevano provato ad imitare i miei siti, per provare a costruire dei rapporti positivi. Ho capito e sono abbastanza sicuro che quasi nessuno di loro pensa a formarsi come insegnante, per trasferire al meglio i concetti verso i propri studenti. Pensano solo a conoscere più tecniche possibili con la chitarra. Ecco spiegato uno dei motivi per cui la maggior parte dei commenti che ricevo nel corso gratuito è "*Ho provato un sacco di corsi e sono andato anche da maestro di persona, ma non ho mai capito niente... adesso con te in un'ora sono riuscito a suonare!*".

Una parte delle persone che decidono di comprare i miei corsi, sono persone che avevano già deciso in passato di provare ad imparare, hanno seguito dei corsi, alcuni dal vivo, altri come autodidatti, ma dopo un po' sono giunti alla conclusione che la chitarra era troppo difficile e forse non faceva per loro.

In questo capitolo vorrei che ti rendessi conto che, se hai già provato e non hai raggiunto l'obiettivo la prima volta, con grande probabilità **non era colpa tua** o del "talento innato", ma era colpa del metodo di insegnamento del corso che hai seguito.

Una sera stavo proprio guardando un video di un corso in cui si parlava di come trasferire al meglio le abilità da sé ad un'altra persona.

Ad un certo punto la persona che teneva il corso, Piernicola De Maria, una persona che io ormai ritengo quasi un amico, spiega chiaramente il perché lui ha mollato la chitarra a differenza di altri suoi amici. Nel video diceva:

"Bisogna aiutare le persone ad avere almeno un risultato parziale, ma che sia anticipato. Che possano averlo quanto prima. Una volta fatto questo, poi si può andare nei dettagli, migliorare, ecc... Però è importante che ci siano entrambe le cose contemporaneamente.

Perché io ricordo che quando ero ragazzino studiavo chitarra classica, andavo al conservatorio, ma obiettivamente non sono mai stato bravo. Mi piaceva, mi impegnavo, ma proprio non ero bravo.

Mi ricordo che chi studia chitarra classica al conservatorio guarda con una sorta di disprezzo quelli che si comprano la chitarra, iniziano a fare gli accordi e le canzoni facili da subito.

Però c'è un problema... che io, un paio di anni dopo, avevo smesso di andare in conservatorio, mentre loro invece hanno continuato a suonare e dopo un po' sono diventati bravi, alcuni anche molto bravi.

Perché? Perché al conservatorio fai solo drilling. Prima di suonare veramente un pezzo devi fare 10 anni di conservatorio. Prima fai solo scale, studi ed esercizi noiosissimi che non assomigliano neanche un po' ad un brano.

La gente si rompe le scatole di fare queste cose a meno che non sia IPERMOTIVATA. Paradossalmente, chi inizia con canzoni facili poi continuano perché nel frattempo stanno avendo dei risultati.

*Perché è così difficile che una persona finisca il conservatorio di chitarra classica? Perché se sti qua il risultato anticipato non ce l'hanno... quanto tempo possono sbattere la testa prima di rompersi i c*****i?"*

Ok, non credo ci sia molto altro da aggiungere.

Attenzione però! Non voglio assolutamente sminuire lo straordinario lavoro che si fa all'interno di un conservatorio. Ho amici che hanno fatto quel percorso e che sono diventati degli ottimi professionisti.

Riccardo Bertuzzi per esempio è un grande chitarrista professionista che ha fatto sia il conservatorio che l'accademia di musica moderna CPM di Milano (un'altra scuola che consiglio assolutamente per chi vuole fare della musica il proprio mestiere).

Riccardo, nel momento in cui scrivo, lavora per Mediaset (a Gennaio 2017 ha suonato nello show di Bonolis "Music" che ha avuto un successo assoluto e che ha fatto ascolti

da record) ed ha suonato con artisti nazionali ed internazionali di altissimo livello. Certamente non avrebbe le giuste competenze per suonare a quei livelli se non avesse fatto il percorso accademico che ha fatto.
Però allo stesso tempo Riccardo è uno dei tanti super-professionisti che hanno capito l'importanza del metodo Chitarra Facile™ e che ha voluto mettere la propria faccia proprio per consigliarlo a chi vuole affacciarsi al magico mondo della chitarra (e ti assicuro che non ci guadagna assolutamente niente a farlo).

Se vai su https://chitarrafacile.com/testimonianze o alla fine di questo libro troverai la sua foto e le sue parole insieme a quelle di altri professionisti.

Se vuoi lavorare nel mondo della musica è obbligatorio fare un percorso didattico molto serio e strutturato come quelli. Ecco perché io ho sempre detto che non mi rivolgo mai a chi vuole diventare un professionista, ma mi rivolgo a chi vuole divertirsi, imparare per passione della musica o per accompagnarsi mentre canta. In questi casi non avrebbe nessun senso fare un percorso così impostato come quello del conservatorio.

Ma allora si può facilmente imparare a suonare da autodidatti? No. Perché a parte il mio metodo, gli altri corsi sono creati seguendo il metodo rigido (chi più, chi meno) del conservatorio o delle accademie. Proprio perché chi te li insegna è appena uscito proprio da li... e deve guadagnarsi la "pagnotta".

Quindi, se in passato hai provato ad imparare, ma senza grossi risultati e magari hai pensato che la chitarra non faccia per te o che non hai il giusto talento, beh... non era colpa tua, non ti preoccupare. Era il metodo di insegnamento ad essere errato.
Cambia metodo e ricomincia!

STORIE DI NEO-CHITARRISTI

Ciao, mi chiamo Flora, ho 37 anni e vivo ad Asti dove faccio l'imprenditrice.

Ho deciso di imparare a suonare la chitarra perché ho una grande **passione per la musica.** *In realtà ci avevo già provato in passato, ma poi* **ho abbandonato.**

Poi ho scoperto il metodo Chitarra Facile su Facebook e li ho cominciato a pensare che avrei potuto riprovare, il corso sembrava più facile degli altri ed effettivamente l'ho trovato molto carino e divertente, quasi come un gioco!

Non ho incontrato particolari difficoltà, forse solo nella ritmica con la mano destra.

Il metodo Chitarra Facile mi sta facendo tornare la passione, sto ricominciando a divertirmi e questo è favoloso. Ma non ho fretta, sto facendo tutto con i miei tempi.

La cosa positiva è che grazie a questa esperienza è cresciuta la mia autostima! Il sacrificio porta sempre a qualcosa di bello.

PARTE 2:

RICONOSCI GLI OSTACOLI DELLA MENTE DEL CHITARRISTA ED ELIMINALI

Niente è troppo difficile per te!

"Non esiste esercizio o brano che tu non possa suonare con la chitarra. Cambia solo il tempo che ci metterai a studiarlo."

David Carelse

Il concetto che ti ho appena espresso nella mia citazione è molto importante nel mondo della chitarra e per tutti i chitarristi e aspiranti tali.

Niente è troppo difficile per te! Nessun brano, nessun esercizio. Te lo assicuro. Anche le persone che sembra abbiano il famoso "talento naturale", in realtà per arrivare ad un ottimo livello con la chitarra ci hanno messo molto tempo di duro esercizio.

La verità è che tu hai adesso un livello di abilità che può essere 0, 1 su 100 o 90 su 100, non è importante. Se vuoi fare un brano o un esercizio o una tecnica che richiede come livello di abilità un livello 8, se sei al livello 1 ci metterai (dico un valore approssimativo) 1 settimana per riuscire a farlo (tempo di raggiungere il livello di abilità necessario), se sei attualmente al livello 90, impiegherai solo il tempo per capire cosa devi fare. Magari 5 minuti.

Insomma, cambia solo il tempo che ci metti, ma veramente, tu puoi fare qualsiasi cosa!

Anche a me in passato è capitato di pensare di non essere all'altezza per suonare un certo brano con la chitarra. Ed era vero! Allo stato attuale delle cose non avevo le abilità giuste per farlo in tempo reale. Mi serviva tempo per acquisire le abilità. Però al momento ero convinto di non poterci neanche provare e che mai avrei potuto approcciare ad un simile brano! Ti è mai capitato?

Non so per quale motivo, forse per curiosità o per divertimento... magari per prendermi in giro da solo, ho deciso di buttarmi e provare questo brano così difficile, convinto che mi sarei fatto una grossa risata e che avrei mollato dopo 1 minuto. Ma volevo vedere veramente quanto fosse difficile.

Beh... era complicato, si, ed io non ero all'altezza di suonarlo, ma non so perché... ho continuato a provarci. Ho studiato le tecniche che mi servivano per suonare il brano, mi sono imposto di migliorare pazientemente la velocità, ho fatto un po' alla volta tutto quello che mi serviva per provare a "giocare" e a completare quella sfida con successo.

La verità è che grazie alla motivazione di voler suonare quel brano che mi piaceva veramente tanto, sono diventato un chitarrista migliore di prima e sono riuscito nel giro di 1-2 settimane a suonare l'intera canzone. Il pezzo era "One Big Rush" di Joe Satriani ed è stato il primo brano "impegnativo", che sono riuscito ad imparare dall'inizio alla fine, dove la chitarra è la vera protagonista.

Un po' di incoscienza e spensieratezza mi hanno fatto capire che tra me ed un brano che adesso non so ancora suonare... c'è solo il giusto tempo per diventare un chitarrista migliore.

Ovviamente quella che ti ho raccontato è un'esperienza ambiziosa, ma questo vale anche per le cose più piccole. Per un esercizio che non ti riesce, per qualcosa che ti sembra difficile (il barrè per esempio), ecc... in tutti questi casi devi solo avere pazienza e darti il giusto tempo per arrivare ad avere le giuste abilità: che siano 5 minuti o 1 mese!

STORIE DI NEO-CHITARRISTI

Stefano Corino, età 46 anni, informatico (ehhh si anche io come te spingo il mouse!!! ahahaha)

Io suono già da parecchio tempo, da giovane avevo intrapreso lo studio del pianoforte classico ed ero arrivato al 5° anno, poi per **problemi di tempo e soldi** *ho dovuto smettere, con molto dispiacere.*

Però la musica in generale non l'ho mai abbandonata, tanto che ho continuato a suonare e a comporre brani, per pianoforte, e orchestra, visto che mi appassionano le colonne sonore dei film. Tutto questo anche se avevo poco tempo.

Ho provato nel tempo a utilizzare VST per la chitarra elettrica e classica, visto che ho sempre voluto inserirle nelle mie piccole composizioni, ma non sono mai riuscito ad ottenere il risultato che danno strumenti reali suonati realmente e lo sforzo enorme per programmare in midi i vst era troppo elevato.

Se a questo aggiungi che, come per il pianoforte, una chitarra "VERA" di legno, che puoi sentire e suonare veramente non è minimamente paragonabile ad un VST beh... ecco spiegato il motivo principale per cui ho deciso di imparare la chitarra.

Il mio idolo è JOHN PETRUCCI, e anche se escludo di poter arrivare anche solo lontanamente al suo livello, spero col tuo aiuto di riuscire a imparare bene lo strumento e poter col tempo averne padronanza sufficiente da poter integrare le mie composizioni.

Adesso riderai sicuramente, ma per imparare a suonare la chitarra elettrica, perché non usare una BELLISSIMA CHITARRA ELETTRICA??? E allora mi sono regalato una Music Man JP15. Lo so, sprecatissima, però anche l'occhio e il feeling che un strumento così bello possono dare secondo me aiutano.

Come ti dicevo la musica la conosco già, la mia difficoltà è stata ed è ancora comprendere bene il manico della chitarra e poter suonare con disinvoltura (sono ancora agli esercizi di stretching che ho deciso di fare fino a che non sono fluido e sicuro... come tu hai consigliato) ma spero di poter riuscire in breve tempo, in ogni caso già va molto meglio!

Quindi, per ricapitolare, suonare la chitarra mi ha invogliato a suonare di più, a **ritagliarmi del tempo per me e solo per me,** *nonostante famiglia e figli, e spero tra poco di farti sentire una mia composizione con tanto di contributo di chitarra!!!!*

Grazie, Stefano.

Le persone che ti ostacoleranno!

"Non lasciamo che il rumore delle opinioni altrui offuschi la nostra voce interiore. E, cosa più importante di tutte, dobbiamo avere il coraggio di seguire il nostro cuore e la nostra intuizione. In qualche modo, essi sanno che cosa vogliamo realmente diventare. Tutto il resto è secondario."

Steve Jobs

"Ridono di me perché io sono diverso. Io rido di loro perché sono tutti uguali."

Kurt Cobain

"Poche persone sono capaci di esprimere con equanimità opinioni che divergono dai pregiudizi del loro ambiente sociale. Molte persone sono addirittura incapaci di formare tali opinioni."

Albert Einstein

Ti sembrerà strano, ma quando inizierai a suonare la chitarra ci saranno una serie di persone che cercheranno, volontariamente o no, di ostacolare il tuo percorso. Se hai già cominciato un corso di chitarra o se hai già detto a qualcuno che vuoi imparare a suonare la chitarra probabilmente hai già notato questo fenomeno.

Prima di cominciare a mostrarti quali sono queste persone devo fare una premessa: non devi per forza eliminare queste persone dalla faccia della terra o dalla tua vista! L'importante però è riconoscerle e capire i loro comportamenti in modo da non esserne travolti.

Sembra un comportamento poco amichevole, ma dovrai impegnarti ad ignorare spesso le opinioni di alcune di queste persone, perché anche se in alcuni casi vorranno solo fare il tuo bene, in realtà ti staranno solo frenando.

Vediamo quindi quali sono queste persone:

PERSONA OSTACOLO 1: Stai giù qui con me

Queste sono persone prevalentemente pigre. Sono persone che non hanno fatto niente di importante nella loro vita (o quasi). Sono insoddisfatte dalla propria vita, la quale tende ad essere sempre pressoché monotona.

Quando vedranno che stai per fare qualcosa di molto interessante come "imparare a suonare la chitarra", non avendo il tuo carattere per riuscire ad impegnarsi anche loro in un'impresa simile a questa, cercheranno di riportarti al loro livello.

Come? Semplice, cercheranno di fare in modo che tu non riesca a raggiungere un livello più alto e quindi... "Stai giù qui con me". Peccato però che non ti diranno queste parole (che in realtà sono esattamente quelle che pensano inconsciamente), ma cercheranno di farti capire "velatamente" che stai sbagliando, con delle stupide battutine o riversandoti addosso frasi come:

"Pfff... ma dai, dove vuoi andare... suonare la chitarra?? Guarda che è difficile! Scommetto che molli subito!"

"Ma dai, senti come stoni... ahahahahahahahahah"

Queste parole le dicono perché... hanno paura. Sanno che, se impari veramente a suonare, si sentiranno nettamente inferiori a te e piuttosto di fare qualcosa per salire al tuo livello, cercheranno di portarti giù al loro. Perché è più semplice!

Riconosci queste persone, ignorale e sentiti ancora più forte. Perché se fanno così è solo perché stai prendendo il volo!

PERSONA OSTACOLO 2: il "Chitarrista Guru"

Il "Chitarrista Guru" è un po' il secchione della chitarra. Quello convinto che, per fare o imparare qualsiasi cosa, bisogna prima perderci l'anima, passare notti insonni, cancellare ogni forma di vita sociale, trascurare gli amici, sudare, allenarsi 20 ore al giorno (4 ore per dormire, mangiare e... andare in bagno).

Lo puoi riconoscere per frasi come:

"Ma quale autodidatta! La chitarra e la musica sono una cosa seria!"

"Devi fare 1 anno di scale ed esercizi noiosissimi prima di suonare una canzone, se no non sei pronto!"

Per il "Chitarrista Guru" non puoi prendere in mano una chitarra se non hai già deciso di diventare un professionista super-serio, inchinarti almeno 3 volte al giorno di fronte alla divinità della musica, fare 10 anni di conservatorio e diventare il numero 1 al mondo.

"Suonare per divertirsi??? Ma quale divertimento! La musica è una cosa seria!"

Ignora i "Chitarristi Guru", hanno solo paura che gli rubi la scena!

PERSONA OSTACOLO 3: Il negativo

Queste persone sono negative a prescindere. Sono pessimisti! Sono persone che vedono il pericolo dietro l'angolo e non vedono assolutamente nessuna luce in fondo a sto benedetto tunnel.

Sono persone che sentirai dire:

"Ma guarda che è difficile suonare la chitarra, preparati eh!"

"Mmmmmm... lascia stare!"

Ma ci credono veramente in quello che dicono, proprio perché di natura sono... pessimisti!

In realtà, la maggior parte di loro si rispecchiano in te ed esprimono questi giudizi solo perché sanno che non riuscirebbero a fare quello che stai tentando di costruire tu.

Cito una frase bellissima tratta dal film "La Ricerca della Felicità" con Will Smith:

"Non permettere a nessuno di dirti che non sai fare qualcosa.
Quando le persone non sanno fare qualcosa lo dicono a te che non la sai fare."

Se cerchi queste parole su YouTube troverai il pezzo del film in cui viene detto. Ti consiglio di guardarlo.

PERSONA OSTACOLO 4: Il protettore

Nella maggior parte dei casi queste persone sono i genitori o i partner. Ciò che dicono viene fatto pensando sempre al tuo bene ovviamente.

Per esempio potrebbero dirti che stai "perdendo tempo", che "nella vita ci sono delle priorità" e via dicendo.

Chi sta ancora studiando si sentirà dire:

"Lascia perdere quella chitarra e vai a fare i compiti!"

Chi lavora, invece si sentirà dire:

"Smettila con quella chitarra, ci sono più importanti nella vita! Ci sono delle priorità!"

Ovviamente non ci si può dedicare ai doveri 24 ore al giorno. Non è possibile e si rischia di impazzire. Con molta probabilità anche le stesse persone che cercano di dissuaderti dal suonare la chitarra, perderanno il loro tempo in tante altre cose! Sicuramente! È umano.

La chitarra è un oggetto facile su cui puntare il dito. Ed è troppo semplice per le altre persone pensare che ti stai solo divertendo e stai perdendo tempo, quando invece suonare la chitarra richiede un grande impegno, sforzo e costanza ed è uno degli hobby più sani ed intelligenti che si possa avere.

Attenzione però. A volte hanno ragione queste persone. Se esageri con la chitarra e trascuri tanto il resto dei tuoi doveri allora è il caso di ricalibrare un attimo la tua rotta.

Ecco, queste sono le persone che ti ostacoleranno. Adesso che lo sai, quando succederà che qualcuno prova ad ostacolarti, rileggi o ripensa a questo capitolo e fatti una risata.

E ricordati che nella maggior parte dei casi parla l'invidia al posto loro.

STORIE DI NEO-CHITARRISTI

Ciao, mi chiamo Danila, ho 38 anni, sono di Civitanova Marche e sono un'infermiera, otre ad una mamma a tempo pieno.

La mia passione per la chitarra è iniziata tanti anni fa, quando ne avevo 11, e sono entrata a far parte del mondo scout. Così con molta pazienza ho iniziato a "suonicchiare" la chitarra con i miei amici.

Gli anni però passano, ma la passione resta, anche se realmente non ho mai imparato a suonarla bene. Fino a quando mi sono affacciata nuovamente al mondo scout, infatti da un anno sono un aiuto capo, e la voglia di riprendere a suonare si è fatto sentire forte.

Così cercando qua e là per il web, e YouTube, ho trovato e scoperto Chitarra Facile. Così ho acquistato il corso "Chitarra in 30 Giorni", ma se devo essere sincera ancora non ho avuto modo di cominciarlo seriamente.

Una cosa però te la devo dire, ***ho trasmesso questa passione anche a mio figlio di 10 anni, che ha voluto in regalo una chitarra, ed ora***

stiamo cercando solo il momento giusto per iniziare insieme.

Grazie!

Lasciati ispirare

"Quando vedi un chitarrista molto bravo puoi scegliere se pensare che non riuscirai mai ad arrivare a quel livello o scegliere di lasciarti ispirare"

David Carelse

Ti racconto un aneddoto della mia vita, di quando ero piccolo e metallaro. Sto parlando di quando avevo 15 anni più o meno e mi piacevano molto i Dream Theater all'epoca (in realtà non ricordo esattamente quanti anni avevo, comunque era il tour di "*Six Degrees of Inner Tourbolence*"). Li apprezzo ancora, ma a quell'età mi piacevano veramente molto.

Se non hai idea di chi siano i Dream Theater, ascoltati il brano Metropolis (pt.1) che è stato il pezzo che per primo mi ha fatto innamorare di loro. Non ti dico di ascoltarlo perché voglio che anche tu ti innamori dei Dream Theater, anche perché sono un po' particolari, ti chiedo di ascoltare quel brano per capire il livello dei musicisti. Il genere è Progressive Metal.

Il genere progressive in realtà nasce dal rock, infatti il primo progressive è il Prog Rock (Progressive Rock). Cosa vuol dire? Questo genere nasce dall'esigenza di cercare di elevare il rock ad una musica culturalmente più apprezzabile. Quindi, le composizioni del genere Progressive Rock, come quelle degli Yes in Gran Bretagna o della PFM in Italia per esempio, sono molto complesse dal punto di vista ritmico, tecnico, melodico e compositivo in generale.

È facile ascoltare dei ritmi in 5/4 o 7/4 nei generi "progressive". Cosa altamente improbabile nella musica pop o commerciale.

I Dream Theater hanno fatto la stessa cosa, ma in ambito Metal. Quindi hanno cercato di portare il genere Metal ad un livello più elevato in termini di composizione, struttura, arrangiamento, ritmi, melodie, ecc...

Io all'epoca ero ancora affascinato dai virtuosismi con i vari strumenti e dai brani complessi dal punto di vista compositivo ed allo stesso tempo mi piacevano i generi compresi tra l'Hard Rock ed il Metal. Ecco perché questo gruppo mi piacque subito. Inoltre, mi piaceva il fatto che uscivano molto dagli schemi.

John Petrucci (chitarrista del gruppo) rimane comunque un idolo per me, in quanto ha comunque segnato la mia crescita musicale.

Fatta questa premessa andiamo all'aneddoto. I Dream Theater vennero in Italia e all'epoca non era per niente facile che un gruppo come loro arrivasse anche in Italia a fare un concerto. Quindi era pressoché un evento grandioso per gli amanti del genere!

Io ed altri 3 miei amici ci organizzammo per andare al concerto.

È molto interessante quanto, con i Dream Theater, anche un concerto metal ti può trasformare in una "mucca che guarda il treno che passa"! Hai presente lo sguardo di una mucca mentre guarda un treno che passa? Non l'hai mai vista? Beh immaginatela! Eravamo tutti e quattro immobili con la bocca aperta a guardare ognuno il musicista del proprio strumento. Per me John Petrucci.

Non credevamo ai nostri occhi! Era stupendo vedere dal vivo una persona che suonava in quel modo. Il loro concerto è durato ben 3 ore e mezza, ma ti assicuro che quelle ore sono passate fin troppo velocemente.

Il fatto è che alla fine del concerto si è vista la differenza tra i nostri 2 stili di pensiero. Il bassista che era venuto con noi per esempio ha detto una cosa del tipo: "Ok, dopo aver visto questo concerto posso prendere il mio basso e buttarlo nel caminetto, almeno il legno servirà a qualcosa... a bruciare!". Quindi molto sconsolato dal concerto. Si è reso conto di quanto può essere bravo un bassista e quanto lui fosse lontano da quel traguardo.

Dall'altra parte invece c'ero io che dicevo "Wow che figata! Non vedo l'ora di tornare a casa e prendere in mano la chitarra!". E così ho fatto! Sono tornato a casa che erano circa le 3 e mezza di notte e con la chitarra elettrica spenta mi sono messo sul letto a suonare ed esercitarmi, perché il concerto mi aveva ispirato e mi aveva dato una grande carica.

Il bassista, al contrario si era assolutamente demotivato. Il fatto è che lasciarsi ispirare o demotivarsi è semplicemente una scelta. A qualcuno viene automatico il fatto di lasciarsi ispirare, per altri invece è più difficile e devono allenare la "mente del chitarrista" per riuscire a farlo.

In ogni caso, che sia facile o difficile... si tratta di una scelta.

Quando vedo un chitarrista molto bravo a suonare, posso scegliere se pensare che un giorno potrei essere io al suo posto, oppure posso scegliere di pensare quanta distanza di bravura c'è tra me e lui.
Detto questo, se per te è più facile demotivarti in queste situazioni, come puoi risolvere? Io sono una persona molto concreta e diretta, quindi voglio darti delle indicazioni molto pratiche, non voglio solo dirti "come dovrebbe essere". Ecco quindi qualche consiglio utile...

Prima di tutto se per te è facile demotivarti ti consiglio di non andare a vedere subito dei personaggi "troppo" bravi. Quelli che per alcuni sono extraterrestri. Cerca di confrontarti prima con chi è solo leggermente più bravo di te. Magari anche con qualcuno del tuo stesso livello (il gruppo di Facebook "Chitarra Facile" è nato proprio per questo motivo).

Quando sei agli inizi, se proprio vuoi vedere qualcuno di veramente bravo, trattalo proprio come se fosse un extraterrestre, e quindi "non di questa terra". Una persona troppo speciale. In modo da dissociarti completamente.

Cerca dei chitarristi che abbiano qualche abilità in più di te e confrontati.

In secondo luogo, quando vedi una persona molto più brava di te a suonare, devi renderti conto che non è obbligatorio arrivare ad alti livelli. L'atteggiamento deve essere "Mi impegno per suonare meglio e magari in caso avvicinarmi al suo modo di suonare un giorno, ma se non lo raggiungo va bene lo stesso".

Devi, quindi, cercare di metter da parte l'ansia di ottenere quel risultato. Ma allo stesso tempo devi darti da fare per migliorare. Forse può sembrare strano quello che ti dico, ma in poche parole devi impegnarti senza attaccarti troppo al risultato che vuoi ottenere, ma soprattutto senza aver fretta di ottenere quel risultato.

Se segui questi semplici consigli sono convinto che raggiungerai dei risultati incredibili senza che neanche te ne accorga. Provaci. Non credermi sulla parola, testa ogni tanto uno dei consigli che leggi in questo libro e nota i risultati che ottieni. E se vorrai, poi, puoi anche farmi sapere com'è andata scrivendomi all'indirizzo **david@chitarrafacile.com**.

STORIE DI NEO-CHITARRISTI

Ciao, mi chiamo Laura, lavoro nel sociale ed ho 53 anni.

La chitarra ha cambiato la mia vita *quando di anni ne avevo 15 ed è stata una fedele compagna e una grande opportunità di evasione; più avanti mi è servita per relazionarmi con i ragazzi di cui allora mi occupavo, poi 24 anni fa l'ho riposta in un angolo della casa e lì è rimasta fino a pochi mesi fa quando ho deciso che avrei ricominciato.*

Dolore alle dita, mancanza di coordinazione, così ho pensato di ricominciare seriamente e mi sono iscritta al tuo corso, che ho fatto tutto d'un fiato in due pomeriggi.

Ho ricordato tutto e migliorato ciò che già sapevo, in effetti non avevo dimenticato nulla. Era già tutto lì è bastava ritirarlo fuori e soprattutto allenarsi, ma mi serviva una spinta e l'ho trovata!

Soprattutto **ho potuto verificare la differenza con il mio vecchio maestro di chitarra che usava un metodo noiosissimo** *anche se sicuramente efficace.*

Buon lavoro,

Laura

3 Trucchi per Non Mollare

"A volte per tirare un colpo vincente bisogna arretrare, ma se arretri troppo non combatti più."

Morgan Freeman

Prima o poi succederà che ti allontanerai per un po' dalla chitarra. A qualcuno succede all'inizio, ad altri succede più tardi. In realtà non riuscirai ad allontanarti per sempre, perché è impossibile separarsi definitivamente dalla chitarra se la sai suonare almeno un po'. Ci sono molti miei studenti che magari hanno cominciato, hanno mollato e poi hanno ripreso con me. Alcuni addirittura avevano mollato per 20 o 30 anni!

Alla fine ci torni sempre sulla chitarra. È lei che ti chiama. È la musica!
Però ci sono sempre dei momenti in cui ti allontani. È triste, ma ci sono tante ragioni per cui può succedere una cosa di questo tipo e sono legati principalmente agli impegni. Può essere perché si comincia a lavorare, perché ci si deve laureare, perché arriva un figlio, perché ci si trasferisce, insomma si tratta di cause legate al tempo e agli impegni.

Poi ci sono anche motivi di "demotivazione", ma per risolvere quelli hai già la soluzione tra le mani: leggere tutto questo libro per sviluppare la tua Mente da Chitarrista.

Per risolvere tutti gli altri motivi per cui una persona si allontana e per cercare di non farlo accadere, in questo capitolo ti darò 3 stratagemmi molto pratici. Sono trucchetti che ho provato sulla mia pelle ed hanno funzionato molto bene. Infatti anche io ho avuto dei momenti in cui mi sono distaccato dalla chitarra, uno dei più importanti allontanamenti che ho avuto è stato quando ho cominciato a lavorare seriamente e dopo poco tempo mi sono trovato a lavorare 12 ore al giorno. In quel periodo mi sono reso conto di quanto fosse importante organizzare molto bene il mio tempo per sfruttarlo al meglio (argomento di cui parleremo più avanti in queste pagine). Comunque adesso passiamo a vedere questi 3 trucchetti che ti possono aiutare molto.

Questi stratagemmi servono un po' a "fregarti". Ed ora capirai perché.

Consiglio #1

Il primo consiglio è quello di tenere sempre la chitarra in bella vista e pronta all'utilizzo. Questo, per me che sono abbastanza pigro, è uno dei consigli migliori perché spesso mi trovo a voler suonare la chitarra, ma se questa è chiusa dentro la custodia e devo montare mille cavi e cose varie prima di poterla suonare... mi passa la voglia.

Invece, io cerco di organizzare sempre la chitarra in modo che il tempo che deve passare da quando decido di suonarla a quando effettivamente la posso suonare, sia sempre più breve. Quindi in sostanza mi sono comprato per esempio una pedal board, ovvero una specie di valigia dove posso tenere i miei effetti a pedale tutti ben ordinati e già pronti all'utilizzo, perché già solo il fatto di non dover sempre tirar fuori tutti i cavi e pedali è una gran cosa e risparmio un sacco di tempo.

In questo momento sto utilizzando la Boss BCB-60 che è relativamente piccolina, molto pratica e anche bella da vedere. Posso utilizzare questo tipo di pedal board in quanto, ad oggi, io preferisco suonare sempre con pochissimi effetti (preferenza molto lontana dall'epoca in cui preferivo suonare i brani di Joe Satriani, John Petrucci, Steve Vai, ecc... i miei gusti musicali sono cambiati molto nel corso del tempo e continuano a cambiare fortunatamente).

Ovviamente se suoni la chitarra acustica o classica ti basta solo tenere la chitarra stessa in bella vista e pronta all'uso.

Tieni presente che anche solo il fatto di passarci davanti e vederla, ti porta già a pensare di suonarla. È un po' come succede a quelle persone che per fare una dieta, nel caso in cui ad esempio non possono mangiare la Nutella, preferiscono non comprarla in modo da non avere neanche la tentazione. Ecco, nel tuo caso dobbiamo invece creare proprio questa tentazione e quindi mettiamo la chitarra in bella vista così più ci passerai davanti, più la guarderai e, fatalità, minore sarà la probabilità che tu possa allontanarla dalla tua vita.

Consiglio #2

Guarda almeno una volta ogni 2 giorni (meglio una volta al giorno) dei musicisti che ti possano ispirare. Sarebbe meglio vederli dal vivo suonare, ma ti porterebbe via troppo tempo farlo una volta al giorno.

Con la tecnologia di oggi è possibile guardare video di musicisti in qualsiasi luogo e momento. Quando ho cominciato io con la chitarra, questo era assolutamente impensabile e per farsi ispirare e guardare qualche musicista bravo che suonava, bisognava fare mille peripezie, facendosi prestare delle "videocassette" in VHS, che poi neanche si vedevano troppo bene, ma che costavano come i DVD di oggi. E potevi vederle solo ed esclusivamente davanti ad una TV (sempre se avevi la tecnologia per leggere le videocassette).

Non so che età abbia tu in questo momento, forse quando hai iniziato a suonare eri proprio in questa situazione, forse non esistevano neanche le videocassette o forse tutte queste cose ti sembrano storie dell'età della pietra. Il fatto è che nel momento in cui stai leggendo, tu oggi puoi vedere quasi tutto quello che vuoi gratuitamente ed in ogni luogo. Devi riuscire a sfruttare questa comodità.

Vai su YouTube ogni tanto e guardati qualche video di musicisti in gamba che suonano musica che ti piace!

Nella pagina Facebook di Chitarra Facile ogni tanto condivido anche io qualche video di chitarristi o band che mi ispirano molto e mi fanno venir voglia di suonare. Se non sai cosa cercare fai un salto anche lì.

Consiglio #3

Vai a vedere qualche gruppetto che suona nella tua città in qualche locale, sagra o festa della birra.

Questo consiglio te lo voglio dare non solo perché funziona come "ispirazione", ma anche perché ci tengo che rimanga questa favolosa abitudine delle persone di andare in un locale la sera, proprio per vedere un gruppo che sta suonando e per supportare quei gruppi locali che suonano sempre con tanta passione, ma che vengono sempre meno riconosciuti a livello economico.

Se vuoi uscire con i tuoi amici, prova prima a controllare se c'è qualche gruppo che suona live da qualche parte, in qualche locale o in qualche festa. Cerchiamo di tenere sempre alto questo mercato stupendo fatto di musicisti super-appassionati, in modo che ci sia sempre gente che va a vedere musica dal vivo e ci sia sempre qualche locale che decide di far suonare queste band.

Ecco, questi sono 3 consigli molto semplici, ma che ti faranno prendere in mano la chitarra più volte di quelle che avevi programmato. Prova anche solo uno di questi consigli e nota come aumenta il tempo che passerai a suonare durante la settimana.

STORIE DI NEO-CHITARRISTI

Ciao, mi chiamo Antonio Vignone, ho 45 anni e abito in un paesino in Ticino (Svizzera). Di professione faccio il macchinista (guido treni passeggeri, dopo un'esperienza nel trasporto merci, sempre con i treni), ma faccio anche l'imbianchino in alcuni casi.

Faccio diversi sport come bici, tennis, parapendio, quindi capisci quanto tempo può rimanermi.

La chitarra è sempre stato lo strumento che mi ha più di tutti affascinato, *ma non l'ho mai suonata. Quando abitavo con i miei genitori in Molise, ho fatto un po' di scuola di musica per suonare la fisarmonica, ma non con tanta passione. Poi mi sono comprato una semplicissima chitarra classica, ma non avendo nessun metodo di studio e materiale è rimasta accantonata in un angolo.*

Una sera viene a casa un amico e improvvisiamo un tanti auguri per mia moglie con la chitarra.

La serata è proseguita con il mio amico che accompagnava diverse canzoni, e mi è scattato qualcosa che mi ha detto, ma se lui suona ad orecchio (e ti assicuro che è bravo) ***perché non posso iniziare anch'io?***

Ho iniziato a fare una ricerca su internet e come primo link è apparso quello di David. Ho seguito diversi suoi video ed esempi e la cosa si è fatta sempre più affascinante.

Ho trovato il corso molto motivante, non ti nascondo che ci sia stata qualche difficoltà, soprattutto per la pulizia del suono. Poi la domanda fatidica: "quale chitarra scegliere?". Anche in questo caso ho seguito il consiglio di David, che diceva di scegliere direttamente la chitarra che si voleva suonare e iniziare con quella.

Detto fatto ho un amico che suona e ha tante chitarre (ma tante chitarre) e me ne ha data una elettrica (Ibanez), consigliandomi che potevo esercitarmi anche sul divano mentre la family vedeva la TV senza disturbare più di tanto. Poi ho iniziato a seguire le lezioni, a fare le prime canzoni, ecc...

Adesso appena posso faccio qualcosa, inizio con un po' di stretching, facendo qualche pentatonica e giri da lui consigliati. Successivamente ho acquistato anche un'acustica e relativo ampli.

Adesso ho tutto quello che mi serve (a parte il tempo) e continuo a strimpellare.

Per ora vorrei riuscire ad accompagnare delle canzoni e prendere un po' di confidenza con lo strumento, ma voglio anche suonare la chitarra elettrica, che mi affascina sempre di più. ***La cosa fantastica è che adesso ascolto le canzoni cercando di sentire la chitarra e capire il ritmo, imitando anche le pennate, mentre per quella elettrica, gli assoli e le variazioni.***

Adesso seguo anche altri maestri. Posso solo dire che siete tutti fantastici e grazie a voi, quello che potrebbe essere insormontabile, diventa sormontabile, ovviamente con tanto impegno.

Mi auguro che con l'impegno ed esercizi io riesca ad arrivare a fare qualcosa di interessante con lo strumento.

Grazie e spero che David ci seguirà sempre con la professionalità che ha e che ci mette da sempre.

Grazieeeeeee
Antonio Vignone

È COLPA DELLA CHITARRA

"Poiché nessuno pensa che le sue sventure possano essere attribuite a una sua pochezza, ecco che dovrà individuare un colpevole."

Umberto Eco

"La musica deve arrivare prima al cuore e poi alle orecchie"

David Carelse

Ricevo spesso richieste di aiuto, email, messaggi di persone che mi dicono tutte più o meno così: "Ho questo problema, non riesco a fare questo movimento, ma il fatto è che ho una chitarra di bassa qualità, pagata pochissimo, quindi probabilmente è colpa della chitarra. Che chitarra mi consigli per provare a fare lo step successivo?".

Prima di tutto... La chitarra non fa veramente tutta la differenza che si crede. Certo, ci sono differenze tra le varie chitarre e quando spendi pochi soldi sai che non hai in mano qualcosa di eccezionale, anche perché fortunatamente, per quanto riguarda la musica, più o meno la qualità è quasi sempre proporzionata al prezzo. Però se hai delle difficoltà con la chitarra, a parte casi eccezionali, il problema non lo risolvi comprando una chitarra più costosa.

L'atteggiamento mentale che veramente ti farà fare il salto di qualità è spostare l'attenzione dai problemi dalla chitarra al "come posso fare per suonare al meglio con questa chitarra, facendola suonare come una da 5.000€?". Questo è un vero ragionamento da Mente del Chitarrista. A volte, farsi le giuste domande fa tutta la differenza del mondo.

Io, quando ho iniziato a suonare, non ho mai avuto delle belle chitarre in mano. Ho avuto sempre chitarre economiche. In particolare, ho avuto per prima una chitarra classica di livello base, poi una chitarra elettrica che se emetteva dei suoni era già tanto, e poi sono passato a qualcosa di più serio nel momento in cui ho cominciato a fare delle serate ed a suonare nei teatri.

E comunque, anche se la chitarra era diventata una passione più che reale per me (ed avevo solo 14 anni), nel momento in cui cominciavo a suonare in giro, il "regalo" della chitarra "più seria" è stato molto sudato, dopo diverse trattative con i miei genitori. Ed alla fine, ricevere quella chitarra voleva dire "niente motorino" che, almeno in quegli anni, per un ragazzo di quell'età era una tragedia. Ma non per me. Rinunciare al motorino per una bella chitarra era una cosa assolutamente ragionevole nella mia testa, non ci dovevo neanche pensare.

Inoltre ho dovuto anche vendere la mia prima chitarra elettrica (purtroppo) e dare lezioni di chitarra a prezzi stracciati ai miei amici per aiutare i miei genitori a fare quell'acquisto (le mie prime lezioni di chitarra come "maestro", anzi, come "guida"). Questo l'ho fatto, non per volere dei miei genitori, ma per scelta mia. Sapevo quanto fosse impegnativo per loro farmi un regalo di questo tipo, anche se erano comunque molto contenti di farlo, così ho voluto contribuire.

Quando mi hanno regalato la mia prima chitarra elettrica avevo 12 anni e non avevo neanche l'amplificatore. Mi ero studiato dei metodi per riuscire comunque a sentire il suono della chitarra senza effetti e senza amplificatore. Attaccavo lo strumento al computer, o al "walkman" con cui ascoltavo le musicassette. Il walkman poteva anche registrare e quindi far passare un segnale di "input" attraverso l'apparecchio e farlo uscire per esempio attraverso delle cuffie. Il problema era che dovevo continuamente registrare su una cassetta se volevo sentire il suono della chitarra. Ma ho trovato il modo per ascoltare il suono senza rovinare ulteriori cassette. Bastava premere una levetta che faceva capire al Walkman che c'era effettivamente una musicassetta dentro, quando invece non era vero.
A quel punto sparavo il volume al massimo in modo da creare la distorsione. Ed ecco la mia chitarra distorta! Ovviamente non era una genialata, potrebbe sembrarti qualcosa di scontato, ma tieni presente che avevo 12 anni e nessuno mi ha mai spiegato niente di come funzionassero quegli apparecchi.

Fortunatamente dopo un po', un amico di mia mamma, Maurizio, che mi ha sentito suonare è rimasto piacevolmente sorpreso (all'epoca non era così facile vedere ragazzini di 12 anni suonare per esempio un brano di Santana con la chitarra elettrica) e mi ha regalato un amplificatore. Non era il massimo, ma io ero super contento perché era comunque 1000 volte meglio del Walkman!

Detto questo, sapendo che mai sarei riuscito ad avere i soldi per prendere una chitarra migliore, per me quella era la normalità. Non mi sono mai chiesto quale chitarra potevo prendere per migliorare il mio suono o le mie abilità, mi sono sempre chiesto "*Come posso migliorare io per far suonare la mia chitarra come una chitarra costosa?*".

In un certo senso, sono stato fortunato ad aver sempre avuto pochi soldi in tasca quando ho cominciato, perché mi ha messo nelle condizioni obbligate di ottenere il giusto atteggiamento mentale. La Mente del Chitarrista.

Questo modo di pensare fa una differenza abissale. Primo perché se ti concentri sulla chitarra perdi un sacco di tempo nella ricerca della chitarra perfetta, quando invece potresti impiegare quel tempo per fare pratica con la chitarra che hai nelle mani in quel momento. Secondo perché, se ti metti a studiare meglio il tuo suono e come modulare le note con le dita in modo da far suonare bene qualsiasi chitarra, quando avrai per le mani una chitarra da tanti soldi, il suono e le tue abilità saranno ancora migliori!

Chi ascolta il podcast su iTunes "Chitarra da Bar", il podcast che registro insieme a Gep (Giuseppe), il ragazzo che al momento si occupa anche dell'assistenza clienti, avrà sentito che spesso parlo del fatto che dai 14 ai 18 anni andavo spesso a sentire un chitarrista di nome Fausto.

Fausto (un super maestro di chitarra), secondo me è uno dei migliori chitarristi nel Veneto, ma anche per via del suo carattere non è mai stato conosciuto dal grande pubblico.

Ogni volta che suonava in qualche locale ci andavo. Quando suona lui traspare un'enorme passione. È stupendo sentirlo dal vivo. Anche quando esegue solo una nota... quella nota suona in modo superbo!

Ebbene, Fausto suonava con una chitarra che costava probabilmente meno della mia. Ma che suono aveva!? A lui non importava assolutamente cosa aveva tra le mani. Riusciva a far "cantare" qualsiasi chitarra. Riusciva a tirar fuori da qualsiasi chitarra un suono, un'espressività, qualcosa di artistico a cui io ho sempre aspirato.

Poi è logico, la differenza con una chitarra costosa si sente, ma stiamo parlando di dettagli, in realtà la musica deve arrivare prima al cuore e poi alle orecchie.

Non è la chitarra che determina l'abilità del chitarrista. La chitarra gioca un ruolo marginale, circa al 10%. Al 40% ci sono le tue abilità ed al 50% rimanente c'è la passione e l'emozione che provi nel suonare (se non hai voglia di suonare una sera, le tue abilità copriranno solo per metà le tue intenzioni).

Ovviamente, come ho accennato prima, ci sono dei casi eccezionali dove effettivamente la chitarra presenta dei problemi che non ti permettono di suonare come si dovrebbe. In quel caso bisogna andare in un negozio di strumenti musicali o direttamente da un liutaio e sottoporre la questione agli esperti per capire se c'è un effettivo problema e come si può risolvere (anche perché in alcuni casi ti costa di più riparare una chitarra piuttosto che prenderla nuova).

Detto questo, sono pochi i casi in cui ci sono dei reali problemi sulla chitarra, quindi cerca sempre di concentrarti molto su come ottenere il meglio dallo strumento che hai già tra le mani e vedrai che farai passi da gigante!

STORIE DI NEO-CHITARRISTI

Salve gente, io sono Francesco ho 18 anni e la mia città natale è Lugano, luogo dove tutt'ora vivo. Attualmente sto svolgendo un apprendistato come progettista d'impianti di riscaldamento.

La voglia che mi ha sospinto ad intraprendere questo fantastico percorso verso la chitarra, mi è stata trasmessa grazie ad un mio carissimo amico, già chitarrista da tempo.
In particolare, ciò che mi ha indotto su questa strada, è stato il suo modo di suonare la musica. Egli non suonava superficialmente, ma bensì ci metteva tutto il suo cuore.

Ho scoperto Chitarra Facile andando semplicemente un po' a curiosare sul web. La mia scelta è ricaduta su questo metodo perché ho ***fin da subito capito che con questo corso avrei potuto dare il meglio di me, senza troppo stress, senza che nessuno mi dicesse quanto e quando farlo,*** *ma bensì quando ne avrei avuto il tempo e la voglia. Inoltre in questo corso ho visto sin da subito del potenziale, e non mi sono mai sentito solo.*

All'inizio è stato un po' difficile perché **ero parecchio impacciato,** *ma con la pratica queste piccole lacune sono andate scomparendo.*

I risultati che sto ottenendo sono sempre migliori dei precedenti e pian piano sento che sto migliorando.

Sono davvero contento d'aver deciso d'intraprendere questo percorso, perché sento che **mi sta arricchendo internamente.**

Francesco

PROBLEMI COMUNI DI CHI INIZIA

"Il rock non eliminerà i tuoi problemi. Ma ti permetterà di ballarci sopra."

Pete Townshend

Certamente chi decide di imparare a suonare la chitarra da autodidatta, anche solo per il fatto che ha preso una decisione di questo tipo, è un leone, è una persona determinata ed ha una grande passione per la musica. Su questo non c'è nessun dubbio.

Quindi non so se tu abbia già deciso di imparare, se sai già suonare alla grande, se hai iniziato da poco o se devi ancora prendere questa decisione. Sappi che già solo il fatto che tu abbia deciso di prendere questa decisione… meriteresti un premio!

Il percorso di un chitarrista, già dall'inizio è un percorso difficile. Il problema è che in alcuni casi immaginiamo una corsa ad ostacoli dove alcuni di questi li stiamo incontrando solo noi, mentre nelle altre corsie ci sono corridori che possono seguire la pista senza dover neanche saltare.

La realtà è che, tra tutte le persone che mi scrivono che pensano di avere un problema personale, nel 99% dei casi si tratta solo di una difficoltà comune, che tutti i chitarristi incontrano. Solo che un chitarrista autodidatta non riesce a vedere sempre se qualcun altro al suo stesso livello di apprendimento sta passando gli stessi problemi, quindi arriva alla conclusione di non essere portato, o di avere un problema con una certa tecnica o modalità nel suonare la chitarra (ecco un altro buon motivo per iscriversi al gruppo di Facebook di Chitarra Facile dove troverai un sacco di chitarristi alle prime armi che stanno cercando di imparare, a qualsiasi livello).

In questo capitolo voglio proprio elencarti una serie di problemi che tutti i chitarristi alle prime armi (e non) incontrano, per farti capire che siamo tutti sulla stessa barca e non si tratta di un problema solo tuo! Sono difficoltà che ho incontrato io, che incontrano tutti i miei allievi e che hanno incontrato tutti i chitarristi famosi che tanto ti piacciono.

Tieni presente che nella maggior parte dei casi sono tutti problemi che si risolvono semplicemente con la pratica, un po' alla volta.

Problema #1 – Perdere il plettro

Certamente questo è uno dei problemi più comuni all'inizio. Soprattutto quando fai la plettrata verso l'alto, e capitano le più grandi acrobazie da parte del nostro amico plettro. E poi, non so se ti sia mai successo, ma il plettro dentro la cassa armonica... che nervoso!

Il plettro all'inizio può sembrare molto scomodo ed assolutamente controproducente, ma attenzione... è normale! Molte persone si scoraggiano subito e cominciano ad utilizzare le dita, ma non perché vogliono seguire un certo stile di musica (esempio il fingerstyle), ma perché credono di essere troppo imbranati con il plettro.

All'inizio siamo tutti alquanto impacciati con il plettro, è normale. Si tratta di un "aggeggio" che non hai mai preso in mano. Inoltre non ci sono altre cose che prendi allo stesso modo. È già difficile suonare direttamente con le dita sulla chitarra, figuriamoci inserendo anche la variabile plettro!
Il problema è che in futuro, se decidi di mollare il plettro, e vuoi suonare musica moderna o rock... sarà un bel caos.

Invece, una volta che hai fatto molta pratica con questo piccolo strumento, ti sembrerà assolutamente naturale averne uno in mano. È pazzesco quanto ci si possa abituare e quanto questo possa diventare con il tempo il prolungamento delle tue dita.

Un consiglio molto veloce, anche se non siamo qui per fare un corso di chitarra, ma questa te la dico velocemente: molte persone fanno fatica perché tengono il plettro in modo molto rigido. Quello che invece bisogna fare è tenere il plettro sapendo che si muoverà tra le dita. Devi smorzare i colpi che riceve il plettro dalle corde e per farlo dovrai tenerlo in modo più morbido. Un po' come le sospensioni della macchina che permettono alla stessa di non sentire troppo i dossi o gli avvallamenti della strada.

Se poi stai suonando la chitarra in modalità strumming, può aiutarti l'utilizzo di un plettro più morbido, più fino, quindi "thin".

Problema #2 – Stoppare le corde

Succede spesso all'inizio che si stoppino le corde che dovrebbero invece suonare. Per esempio quando facciamo il DO maggiore nella posizione più famosa, spesso succede che con l'indice sulla seconda corda, sfioriamo anche la prima corda che invece dovrebbe suonare libera e quindi quest'ultima non suona proprio.

Si tratta di un problema assolutamente comune. All'inizio gli accordi suonano un po' strani proprio perché alcune corde sono stoppate e sembra quasi impossibile che si possa riuscire a farle suonare tutte senza sfiorarne neanche una, ma con un po' di pratica questo problema sparisce completamente. Magia!

Problema #3 – L'allargamento delle dita

All'inizio farai molta fatica ad allargare le dita per arrivare a premere i tasti lontani, ma non ti preoccupare, perché con la pratica ed i giusti esercizi (che trovi nei corsi di chitarra completi e non sulle lezioni a casaccio su YouTube), un po' alla volta tutto migliora.

Ovviamente non aspettarti risultati subito. Continua a fare esercizi ed a suonare costantemente e vedrai che le tue mani si adatteranno al modo in cui deve essere suonata la chitarra, anche se hai un'età avanzata. Ci metterai di più, ma si allargano. A qualsiasi età.

Come puoi fare all'inizio se non arrivi a certi tasti? Molto semplicemente sposti leggermente il polso a destra o sinistra per arrivare all'altezza giusta con il dito interessato.

Problema #4 – Il cambio degli accordi

Lo so è frustrante, ma ci vogliono tempo e pazienza prima di riuscire ad effettuare il cambio da un accordo ad un altro in breve tempo per fare delle canzoni senza pause.

Però tutti i chitarristi, anche quelli più famosi sono passati per la fase in cui si suona un ritmo, lo si ferma e poi si riprende solo dopo aver sistemato tutte le dita sull'accordo seguente.

Il problema del cambio degli accordi è talmente sentito tra i principianti che ho deciso di creare un metodo apposito (un libro che trovi su chitarrafacile.com/corsi) dal titolo "Cambio Accordi Intensive Training" che è dedicato esclusivamente a risolvere questo problema in un tempo più breve rispetto a quello che ci vorrebbe normalmente.

Quindi, riguardo ai problemi comuni dei chitarristi, prima di tutto dovete riderci su quando vi succedono queste cose. Un po' di autoironia fa sempre molto bene, sia con la chitarra, sia nella vita in generale. E rendiamoci conto che siamo tutti passati su questi stessi problemi, compresi quei chitarristi famosi che ci sembrano dei super-eroi.

STORIE DI NEO-CHITARRISTI

Ciao, la mia storia è proprio di quelle che non sono mica tanto "storie".

Mi chiamo Carla, sono di Genova.

La chitarra me l'avevano regalata tanto tempo fa, era lì, poi un giorno mi è scattata la scimmia e ho deciso di usarla.

Ho scoperto Chitarra Facile su Facebook e l'ho scelto per la parola Facile, non è il primo corso che ho preso ma ho sempre avuto pochi risultati perché alla fine sono tutti un po' troppo tecnici per una che sa poco e niente di musica. Mi è parso subito molto più semplice ed abbordabile.

Le difficoltà mie erano, tra le altre, ma più delle altre, i cambi di accordi *e il tuo libro "Cambio Accordi Intensive Training" mi ha aiutato moltissimissimo!*

La chitarra mi ha cambiato la giornata, nel pomeriggio il richiamo chitarristico è assoluto **se non lo faccio per qualche ragione mi manca... incredibile!** *E questa si che è una novità.*

Sono riuscita a suonare "Diamante" che ritengo una delle melodie più dolci e belle. Ora sto cercando di fare "Creuza de Ma" (Faber essendo genovese è praticamente parte della mia vita musicale).

Grazie
Carla

TUTTI CADIAMO, MA SOLO QUALCUNO SI RIALZA

"La nostra gloria più grande non sta nel non cadere mai, ma nel risollevarci ogni volta che cadiamo"

Nelson Mandela

Le parole di Mandela, quelle della citazione che trovi qui sopra, sono parole bellissime, ma tra il dire ed il fare c'è sempre di mezzo un mare, che spesso sembra più un oceano. Non è per nulla facile.

Ogni anno vedo decine di migliaia di chitarristi che partono da zero e cercano di imparare a suonare la chitarra. Mi sono accorto che la maggior parte di essi ha un atteggiamento piuttosto disfattista. E molti di loro sono consapevoli di questo. Se credi anche tu di avere questo tipo di atteggiamento, spero che il capitolo che stai leggendo adesso ti faccia almeno riflettere e magari covare un piccolo, ma importante cambiamento. Il pensiero comune di molte persone che si apprestano a suonare la chitarra è che "se non riesce un esercizio, un accordo o qualsiasi cosa in poco tempo, allora vuol dire che probabilmente non si è portati per suonare la chitarra". C'è sempre questo fantasma del talento innato mancante che aleggia su di noi.

Quindi si collega automaticamente ai primi normalissimi *fallimenti,* la tipica frase “non sono portato per suonare la chitarra”.

Penso che tutti conoscano la storia di Thomas Edison. Verso la fine del 1800 questo signore ha provato una volta a fare la lampadina e... ha fallito. Non è andata bene.

Quindi ci ha rinunciato? No.

Ha provato una seconda volta e finalmente... no! Neanche questa volta ci è riuscito, mannaggia! Peccato.

Ha provato quindi altre 10 volte a fare questa benedetta lampadina, ma... ancora niente! Caspita, dopo 10 volte forse comincia ad essere un po’ dura vero? Forse non era tanto portato per raggiungere quell’obiettivo.

Però si è rialzato ogni volta ed ha provato anche 100 volte. Ma ancora niente. Ha fallito anche la centesima volta.

Ok a questo punto, se fossi stato vicino a lui, probabilmente anche io gli avrei detto: “Ehi Tom... lascia perdere dai!”. Ma le cose andarono un po’ diversamente. Edison fece oltre 2.000 tentativi e poi ci riuscì nel suo intento e divenne la persona conosciuta per aver commercializzato la lampadina (non è stato lui ad inventarla).

Pare che una volta un giornalista gli chiese: “Ma come ci si sente a fallire per ben 2000 volte?”. E lui rispose: “Non ho fallito. Ho semplicemente trovato 1999 modi per NON fare una lampadina". Geniale! Un grande insegnamento.

E tu puoi applicare lo stesso concetto alla chitarra. Ipotizzando che tu sia proprio all'inizio, quando ti impegni per fare un accordo e continua a non riuscirti, con un suono che non è proprio quello che ti immaginavi... va benissimo! Non sto scherzando eh! Va più che bene, perché il tuo cervello sta registrando esattamente ciò che NON deve essere fatto, che è importante esattamente quanto riuscire a fare una determinata cosa nel modo corretto.

Quindi tornando a Mandela, la bravura di un chitarrista è data dal suo essere ostinato, non dai successi istantanei. Non devi concentrarti sugli esercizi che ti vengono al primo colpo (cosa che tra l'altro è altamente improbabile). Ma devi concentrarti a provare fino a che non ci riesci.

STORIE DI NEO-CHITARRISTI

Ciao, mi chiamo Arianna Andreatta, ho 21 anni, vivo in provincia di Treviso ma abito a Vedelago!

Io di mestiere per ora faccio l'insegnante al doposcuola, insegno a bambini e ragazzi con difficoltà nel fare i compiti che vengono assegnati la mattina a scuola.

Facendo questo lavoro ho le mattine a casa, inoltre la mia cara chitarra classica l'ho ricevuta in regalo per i miei 15 anni, e fino a qualche mese fa è sempre rimasta al chiuso senza mai essere toccata perchè non avevo il tempo materiale per mettermi ad imparare.

La motivazione che più mi ha spinto nell'imparare è stato il canto. Cantavo con un maestro una volta, ora non più! Quindi l'idea di cantare e suonare allo stesso tempo è sempre stato un pò un sogno!

In questi mesi ho trovato del tempo per cominciare ma non volevo un maestro perchè sapevo che sarebbero partiti via tanti soldi! Così sono andata in cerca su internet, e subito mi è comparso il video di David!

Ho iniziato con le 4 lezioni per imparare una canzone, eh vabbè non era chissà cosa, però era la prima volta che provavo a suonare ed è stato molto bello, da lì ho cominciato a seguire di più David e le sue lezioni, e poi mi sono imbattuta in "Chitarra in 30 Giorni".

All'inizio è stato un pò difficile, come mettere le mani, vedere se facevo giusto! Non è così semplice però penso di essermela cavata!

Insomma sono partita dal non sapere niente a riuscire a fare perfettamente suonata e cantata da sola la

"Canzone del Sole"! (ok è la canzone più semplice, ma ***per me vuol dire tantissimo****).*

Magari la mia difficoltà maggiore è un pò il ritmo, la velocità di spostare le dita da un accordo all'altro e il barrè, ma ho constatato che ci vuole solo tanto esercizio! E ***come dice David, devi provarci almeno 1000 volte prima di arrenderti!***

Per ora non sono ancora uscita allo scoperto con i miei amici, aspetto un pò, prima voglio diventare un pò più brava di così!
Inoltre spero in futuro, grazie a quanto ho imparato su Chitarra Facile, di riuscire a suonare abbastanza bene da andare in chiesa a cantare e suonare col coro! Mi piacerebbe un sacco!

GRAZIE DAVID!

Ciao
Arianna.

Chitarra nuova, che guaio!

"La via giusta è simile all'acqua che, adeguandosi a tutto, a tutto è adatta."

Vito Mancuso

Quando si cambia chitarra e se ne compra una nuova, capita spesso che dopo un po' si scoprano alcune cose, di cui non ci si era accorti prima, e che fanno rivalutare l'acquisto.

Può succedere per esempio che ti trovi a suonare peggio di prima. Se hai comprato una chitarra elettrica può succedere che i potenziometri (le "manopole" del tono e volume) siano in posizioni che ti danno fastidio e non riesci più a suonare con la stessa disinvoltura di prima.

La paura in questi casi è abbastanza ovvia... "Speriamo di non aver fatto un acquisto sbagliato e di non doverla ridare indietro".

È vero che la chitarra che hai comprato potrebbe anche rivelarsi quella meno adatta al tuo stile. Purtroppo questo può succedere, non ci si può fare nulla, ma è molto difficile che accada. Quello che invece potrebbe capitare è che tu abbia bisogno di un periodo di adattamento alla nuova chitarra. Succede quasi a tutti. Si prende in mano la nuova chitarra e... "Aiuto! Non me la sento così bene come pensavo e non riesco a suonare come prima!". Tutto normale, può succedere.

A tal proposito ti racconto quello che era successo a me nel 2000 quando ho comprato la mia prima chitarra semi-seria. Avevo una chitarra super economica prima, ma quando ho cominciato a fare sempre più concerti era il momento di passare a qualcosa di più serio. Una Ibanez RG-350 bianca con battipenna color madreperla. Dopo aver fatto diversi sacrifici per ottenerla sapevo che quella sarebbe stata la chitarra perfetta per me, ideale per il genere che suonavo allora, ma comunque molto versatile, come impostazione, come suono, ecc...

Ma quando provi una chitarra in negozio non la suoni mai come suoni veramente a casa. Avevo fortemente voluto il ponte Floyd Rose, un tipo di ponte particolare che serve a fare alcuni virtuosismi e suoni particolari, ma sempre mantenendo l'accordatura perfetta (o quasi). All'epoca mi piaceva suonare Joe Satriani e Steve Vai, quindi per me non aveva senso avere un ponte diverso da quello, che riusciva a mantenere l'accordatura anche dopo aver utilizzato in modo molto aggressivo la leva del tremolo per buona parte di un brano e per farlo, sul capotasto aveva un sistema di 3 viti che bloccava le corde... e qui nasce il "mio" problema.
Nella prima settimana in cui l'ho suonata mi sono accorto che ogni volta che con la mano sinistra passavo da una posizione alta del manico (più vicino al corpo della chitarra) ed arrivavo ai primi tasti (più vicino alla paletta), mi facevo sempre male alla mano perché la piccola struttura che bloc-

cava le corde sul capotasto aveva delle forme appuntite che mi davano davvero fastidio.

Ovviamente non avevo nulla di tutto ciò sulla mia prima chitarra (era già tanto avere un pickup che funzionasse più o meno bene), quindi mi ero abituato a muovermi sul manico in un certo modo e con una certa velocità, arrivando sempre all'inizio del manico e portando la mano anche oltre il capotasto alcune volte.

Me la sono vista brutta. Ho pensato di aver fatto un pessimo acquisto. Fortunatamente però, ho fatto finta di niente per un po'... mi sono fatto un po' di male e poi senza neanche accorgermene, ho imparato ad adattarmi alla chitarra con questa nuova piccola struttura sul capotasto. Di conseguenza non è più successo che mi facessi male in quel modo.

Ecco, questa fase di adattamento secondo me c'è quasi sempre. Anche perché, per me, questo episodio non è stato neanche l'unico, però ovviamente ero già preparato all'evenienza.

Per esempio, mi sono trovato con la Fender Stratocaster a suonare in modo scomodo per evitare i potenziometri (le manopole di volume e tono) a cui andavo a sbattere spesso con la mano destra.

L'importante è capire bene se si tratta di un problema di adattamento o di un problema vero della chitarra. Ovvio che se parliamo di chitarre che vengono utilizzate da molte persone, tipo la mia Fender Stratocaster, già sai che ci sono tanti chitarristi che non fanno nessuna fatica a suonarla e che quindi, se incontri dei problemi pratici, con molta probabilità è una tua questione di adattamento.

Quindi non scoraggiarti e continua a suonare e fare pratica che le cose si aggiusteranno di conseguenza.

STORIE DI NEO-CHITARRISTI

Ciao,

Mi chiamo Enrico, sono di Catania, ho 45 anni, e sono manager in un'azienda di microelettronica.

Sono un grande appassionato di musica, principalmente rock e metal, ma non disdegno anche jazz, classica, pop, italiana... Insomma, la musica mi piace proprio come arte, a 360 gradi.

Da ragazzo ho imparato un po' a suonare la tastiera da autodidatta e mi piaceva comporre qualcosa, tipo suite da 18 minuti di progressive rock... hahaha! Le facevo ascoltare ai miei amici che si scompisciavano dalle risate. Comunque, alla fine, qualche idea c'era.

Poi, con il lavoro, la famiglia, i figli (ne ho tre, uno al liceo a due alle elementari), ho abbandonato la tastiera, che sta li, in salotto, come soprammobile (ogni tanto mia figlia strimpella qualcosa) e poco tempo fa mi sono reso conto che in realtà avrei sempre voluto suonare la chitarra elettrica, strumento principe dei miei generi musicali preferiti.

A Natale mi sono regalato una Yamaha EG-112, che peraltro consigli sul tuo blog, e dopo aver esplorato un po' internet alla ricerca di qualche corso abbastanza serio, mi sono imbattuto nei tuoi video, e... mi hai convinto subito!

Senza pensarci troppo ho acquistato il tuo corso e, anche se effettivamente tra impegni lavorativi e familiari non ho molto tempo per suonare, cerco sempre di ritagliarmi dei piccoli spazi per seguire e mettere in pratica le tue lezioni.

Insomma, non saranno proprio 30 giorni, ma riuscire già a tirar fuori, balbettanti e imperfetti, degli accordi e delle armonie di senso compiuto a me già sembra un mezzo miracolo.

E tutte le volte che prendo in mano "l'ascia", mi emoziono quando tiro fuori qualche nota, qualche semi-melodia inventata anche li, per caso. È ***proprio bello suonare, anche quando lo sai fare a stento.***

Figurati che c'è stato recentemente un periodo di una decina di giorni che non ho proprio avuto tempo (e forse anche voglia, capita!) e

mia moglie mi ha detto: "Perché non prendi più la chitarra, mi piace quando la suoni". *Per me, un gran complimento.*
Grazie per il tuo corso, mi hai un po' arricchito l'esistenza di cose positive, continuerò a esercitarmi per divertirmi sempre più e chissà, forse un giorno riuscirò a suonare l'assolo di Stairway to Heaven!

Ciao,
Enrico

PARTE 3:

LE STRATEGIE DEI CHITARRISTI VINCENTI, MIGLIORARE CON IL MINOR SFORZO

Imparare con il pilota automatico

"Prenditi alcuni minuti al giorno in cui cascasse il mondo suonerai la chitarra, in questo modo dopo circa un mese diventerà un'abitudine... un'ottima abitudine!"

David Carelse

La maggior parte delle persone si iscrive in palestra facendo l'abbonamento per un anno intero, per poi andarci effettivamente e fisicamente, solo qualche volta.

Non ho detto che "qualcuno" fa così... la maggior parte delle persone fa così! È un dato che i proprietari delle palestre conoscono bene. Ecco perché spingono per venderti l'abbonamento annuale con degli sconti inverosimili. Se non fosse così, pagheresti 2-3 mesi e poi te ne andresti... facendoti fare l'abbonamento annuale loro ci guadagnano.

Ti è mai capitato? Oppure, hai qualche amico a cui è capitato di pagare l'abbonamento annuale per poi smettere dopo qualche mese? Io si, ho diversi amici che hanno fatto così. La cosa strana è che io, che ho sempre pagato la palestra mensilmente... sono quello più costante di tutti. Addirittura, c'è stato un anno in cui sono andato per 5 giorni a settimana per tutto l'anno a parte 1 settimana di vacanza in estate e le ferie di Natale! Pazzesco, sono proprio un malato di mente.

Ovviamente alternavo l'allenamento con i pesi a quello aerobico, se no sarebbe stato dannoso per il fisico. Consiglio a tutti i chitarristi di fare attività fisica costante perché fa funzionare meglio il corpo ed anche la mente!

Non deve per forza essere la palestra, io ho fatto anche diversi sport, ma dopo una certa età, le attività sportive che voglio fare io non sono molto indicate, e mi sono pure stancato di rompermi le ossa, infatti ho deciso di smettere con la pallavolo dopo essermi rotto un piede con frattura scomposta.

Ma tornando al discorso iniziale... Perché tante persone non riescono ad essere costanti in palestra?

Il problema è che non riescono a creare l'abitudine. Se l'andare in palestra non diventa una consuetudine, purtroppo non c'è forza di volontà che tenga... di certo un anno non puoi durare.

Ma come si fa a creare un'abitudine da zero?

Ci sono diversi studi e correnti di pensiero diverse. Io ti esporrò solo quella che ha funzionato per me, non solo sulla chitarra e sulla palestra, ma è una "regola" che utilizzo sempre quando voglio creare un'abitudine.

Ovviamente il consiglio che ti darò non è qualcosa che provi e... "click" hai creato un'abitudine! Non funziona così. Però se segui il semplice suggerimento che ti darò adesso, sicuramente avrai qualche opportunità in più di sfruttare tutto l'abbonamento della palestra che hai pagato. Scherzo, dopo vedremo l'applicazione sulla chitarra ovviamente.

C'è una regola che in molti hanno chiamato "dei 21 giorni". In pratica se riesci per 21 giorni, ogni giorno, a fare una determinata cosa con costanza, dopo questi 21 giorni ti verrà quasi automatico continuare a farla perché è diventata... un'abitudine!

Il problema è che, quasi sempre, in questi 21 giorni è difficilissimo mantenere l'impegno, perché effettivamente devi scardinare le tue vecchie abitudini e queste sono moooolto difficili da cambiare. Ti troverai a cercare e trovare facilmente qualunque "scusa" pur di NON mantenere quell'impegno.

Ma, appunto, dopo 21 giorni (io consiglio 1 mese), se riesci a non sgarrare mai, entrerà in gioco il tuo inconscio che in quel caso diventerà il tuo "pilota automatico"!

Ripeto... questo non vuol dire che da quel momento in poi sarà facilissimo, ma sicuramente ti renderai conto che non sarà più così difficile mantenere il tuo impegno.

Questo è uno dei tanti motivi per cui mi senti dire spesso: "*se hai poco tempo per suonare la chitarra piuttosto suona 15-20 minuti al giorno. Non cercare di fare 2 ore oggi e poi ti fermi per una settimana*".

In questo caso il motivo principale è crearti un'abitudine... un'ottima abitudine (in generale è meglio la costanza piuttosto che le sessioni lunghe per imparare qualsiasi abilità).

Un ulteriore consiglio che ti aiuta a mettere in pratica questo esercizio, è di trovare un momento del giorno in cui puoi fare quell'attività. Quindi stessa ora, tutti i giorni. Ti assicuro che se cominci a fare la stessa cosa, tutti i giorni, agli stessi orari... sarà molto difficile riuscire a smettere dopo 1 mese.

In realtà sembra che io sia bravissimo in queste cose, ma non è così. Come ho detto in precedenza, la prima fase di quel primo mese è durissima e lo è soprattutto per uno pigro come me. Si, io sono un pigro e forse il mio essere super metodico e rigido su tante cose è proprio per ovviare a questa mia caratteristica della personalità.

Quindi certamente se sei una persona con grande forza, energia e tutto il resto, beh... probabilmente non hai bisogno dei miei consigli. Io ti dico quello che ha funzionato per me, che sono una persona pigra, ma che ha trovato il modo di ingannare questa pigrizia.

Poi certo, il fatto di dedicarsi con costanza a suonare la chitarra... è molto meglio rispetto al doversi impegnare per andare in palestra! Noi siamo fortunati.

Poi c'è da dire un'altra cosa. A volte si pensa che le abitudini siano qualcosa di brutto e noioso. In realtà devi sapere che l'essere umano funziona meglio con le abitudini. L'uomo è di natura abitudinario. Il problema è che nella società odierna, soprattutto nella pubblicità e nei media tradizionali come TV, giornali e radio, ti spacciano l'anarchia e l'essere controcorrente, come qualcosa di "cool".

La realtà è che basterebbe avere 3-4 piccole buone abitudini al giorno per cambiare totalmente la propria vita in meglio. Basta sceglierle con cura. L'abitudine di suonare la chitarra potrebbe portarti ad avere un futuro pieno di sorprese fra qualche anno. Te lo posso assicurare!

Grazie alla chitarra conosci gente nuova, puoi parlare di musica ad un livello più profondo, puoi trasmettere emozioni e potresti cambiare anche la vita di altre persone!

Immagina scegliere altre 2 abitudini di questo tipo... come cambierebbe la tua vita?

STORIE DI NEO-CHITARRISTI

Ciao David,
sono Andrea, ho voluto imparare a suonare la chitarra un po' per colpa di Guitar Hero, ma soprattutto vedendo amici al bar che cantando e suonando la chitarra riescono a creare un'atmosfera unica.

Quando ho preso in mano la chitarra ed ho provato a fare le prime posizioni del giro di DO, fin da subito ho pensato "ma come fanno loro a cambiare posizione e così in fretta?" e poi "ma che razza di posizione innaturale bisogna adottare per suonare la chitarra?".

Nonostante tutto mi esercitavo quasi quotidianamente e nel giro di due mesi la mano sinistra non mi dava più problemi. Il mio più grande problema è stato ed è tutt'ora la mano destra, cioè la parte ritmica. Non avendo nessuno che mi riusciva a dare consigli su come fare e migliorarmi ho acquistato il corso "Chitarra in 30 Giorni".

La chitarra ti stravolge completamente la vita, *ti porta via del tempo, che tu ne abbia o meno inizi a suonare e* ***passano ore ma a te sembrano soli pochi minuti,*** *ma la cosa più importante è che la chitarra ti insegna che a piccoli passi e poco alla volta puoi sempre migliorarti e che non bisogna mai cedere alle avversità che ti pone la vita, se ti impegni puoi ottenere quasi tutto quello che vuoi.*

Grazie alla chitarra affronto le avversità in un altro modo perché come una volta vedevo il giro di Do, oppure gli accordi col barrè come montagne, ora guardando al passato sembrano piccole cunette.

Andrea Franzoni

NON HAI TEMPO PER SUONARE? BALLE!

"Voi occidentali avete l'ora ma non avete mai il tempo"

Mahatma Gandhi

Nessuno che ha tempo di suonare. Proprio nessuno eh! Sarà vero?

È verissimo! Nessuno ha mai tempo. È così nella società moderna. Il problema è che…

Dato che NESSUNO ha tempo per suonare, perché allora ci sono un sacco di persone che continuano ad esercitarsi tutti i giorni? Come fanno a trovare il tempo per suonare comunque, anche se non ce l'hanno?

Io cerco sempre di migliorarmi, costantemente, sotto diversi punti di vista, ma soprattutto nella gestione del tempo e nella produttività. Perché? Perché più riesco ad essere produttivo, più riesco ad organizzarmi, più cose riesco a fare e più persone posso aiutare nell'imparare a suonare la chitarra.

Chi mi segue da un po' di tempo lo sa. Sono un "malato di mente" in questo. A volte il Sabato mattina vedo dei post particolari sul nostro gruppo di Facebook e per essere veramente di aiuto per risolvere il problema di quell'aspirante chitarrista, prendo subito la telecamera e registro un video veloce in cui spiego bene quel concetto su cui si stava discutendo.

Diciamo che vorrei fare molto di più di quello che riesco a fare in generale. Anche per scrivere questo libro, mi è servito trovare del tempo a cui dedicarmici, oltre ai miei impegni abituali. Non è per niente facile trovarlo se già vorresti più tempo per fare le cose normali che dovresti fare tutti i giorni, però alla fine, se stai leggendo queste parole vuol dire che ci sono riuscito, giusto?

Merito del fatto che, anche per scrivere questo libro ho cercato di imparare sempre nuove strategie per gestire meglio il mio tempo. Cerco di vedere quali sono le abitudini di quelle persone che riescono a fare mille cose e realizzare mille progetti ogni anno, leggo libri, mi confronto con altri professionisti, ecc...

Detto questo, nel corso della mia vita ho imparato e testato moltissime strategie per essere più produttivo e gestire meglio il mio tempo.

Così, ora vorrei condividere con te 5 di queste strategie che stanno alla base di tutto. Ci stai? Ti piacerebbe avere più tempo per suonare? Allora continua a leggere!

Consiglio numero 1: Impara a dire di NO!

Lo sai che la maggior parte delle persone che non ha tempo, si trova in questa situazione perché dicono di si a tutti e molti no a sé stessi?

È sicuramente una cosa bellissima se sei in questa situazione, perché vuol dire che sei una persona molto altruista, però se dedichi troppo tempo alle richieste di altri, non avrai più tempo per te. Se già hai poco tempo ed in più ti rendi sempre disponibile per gli altri, capisci che sarà impossibile trovare il tempo anche per suonare la chitarra.

Non devi dire SEMPRE di no, ma se già incominci ogni tanto a dire di no a qualcuno, noterai una bella rivoluzione nella tua vita in termini di tempo. Lo so che non è facile, ma in realtà una volta che le persone che hai attorno si rendono conto che non riesci più a soddisfare tutte le loro esigenze... capiranno tranquillamente che sei una persona impegnata e ti chiederanno sempre meno aiuto in futuro. Così magari quelle poche volte che chiederanno il tuo appoggio, potrai anche soddisfarlo.

Infatti, il problema principale in questo momento è che se continui a dire di si a tutti, è un po' come se dicessi "Io ho tempo da regalare!". E per questo le persone ti chiederanno aiuto per qualsiasi cosa. È un circolo vizioso!

Quindi cerca di uscire da questo circolo vizioso cominciando a dire di no a qualcuno intanto. Così intanto ti liberi un po' di tempo e cominci a far capire alle persone che non puoi dedicare tutta la tua vita a loro.

Ripeto, non devi eliminare il SI. Devi solo moderare le volte in cui offri il tuo tempo alle altre persone, ok?

Consiglio numero 2: Pianifica tutta la tua giornata.

Modestamente io sono un vero Ninja in questo. Lo so che non c'è da vantarsi, questa è vista come una cosa super noiosa, ma in realtà io mi diverto molto e mi piace pianificare tutto. Sono molto metodico in questo.

Per quale motivo è importante pianificare la tua giornata? Semplice, primo perché ti rendi conto delle cose che effettivamente puoi o non puoi fare, sia per te che per gli altri. Secondo, una cosa a cui tengo molto, ti permette di avere la mente libera perché non ti devi ricordare di niente a mente e quindi... molto meno stress.

Puoi farlo scrivendo liberamente su carta, o su una comoda agenda, ma io preferisco sempre e trovo più pratico l'utilizzo della tecnologia, anche perché, per esempio, gli strumenti che ti consiglierò li puoi utilizzare da qualsiasi dispositivo (computer, tablet, smartphone) e si aggiornano automaticamente su ognuno di essi!

In realtà, dopo anni che utilizzo software di ogni tipo, adesso sono tornato al cartaceo e mi sto trovando bene con le agende settimanali da ufficio, quelle grandi e orizzontali che ti mostrano i sette giorni della settimana con le ore dove puoi pianificare la giornata e una volta trascorsa la settimana strappi il foglio.

Durante la mia vita però, ho utilizzato letteralmente decine di software e app che fanno questo lavoro e mi sento abbastanza in grado di poterti consigliare quelli migliori, o che almeno hanno funzionato molto bene per me.

Ti consiglio di provare “Todoist”, “Wunderlist” e “Google Calendar”.

In realtà Todoist e Wunderlist sono simili, mentre Google Calendar si utilizza in modo completamente diverso, più simile all’agenda con pianificazione settimanale di cui ti parlavo prima.

Adesso non sto qui a farti dei tutorial per imparare ad utilizzare questi programmi, tanto vedrai che imparerai facilmente, basta che cominci ad utilizzarli nella vita quotidiana e dopo 1 settimana sarai una persona esperta di queste applicazioni.

Consiglio numero 3: Meglio 15 minuti al giorno, che 2 ore oggi e poi fermo una settimana.

La costanza premia. E premia molto. Molto di più dell’allenamento massivo. In parole povere, a parità di tempo speso a suonare, è molto meglio spalmare quel tempo in più giorni.

Per esempio: oggi decidi di suonare perché hai un po' di tempo e dedichi ben 2 ore alla chitarra, ma è da 5 giorni che non stai suonando. Un tuo amico invece suona 15 minuti al giorno e lo fa tutti i giorni. Se facciamo il totale dei minuti di allenamento il tuo amico in una settimana suonerà 1 ora e 45 minuti.

Logicamente, potresti pensare che tu ti stai allenando meglio e per più tempo, ma la realtà è che essere costante funziona molto di più dei blocchi di tempo isolati. Risultato: il tuo amico dedicherà meno tempo alla chitarra, ma avrà più tecnica e suonerà meglio.

Quindi, ovviamente se hai da dedicare 2 ore ogni giorno alla chitarra va benissimo. Ma se decidi che non vuoi dedicare troppo tempo alla chitarra, cerca di preferire la scelta di una pianificazione a piccoli blocchi di tempo giornalieri piuttosto che un blocco di tempo massiccio, ma isolato all'interno di un periodo di tempo che comprende più giorni.

Consiglio numero 4: prenditi meno impegni durante il giorno.

Potrebbe sembrarti simile al consiglio numero 1, ma in realtà è differente. In questo caso il senso è di prendere meno impegni tuoi personali, nell'arco di una giornata, rispetto a quello che "pensi" di riuscire a fare.

Nella pratica: quando pianifichi i tuoi impegni, fai sempre finta di avere un impegno "indefinito" di 1 o 2 ore ogni giorno. Un'ora buca. Attenzione però! Questo spazio non è quello che serve per suonare. Il tempo per quello deve essere conteggiato a parte. Questo momento aggiuntivo ti servirà per coprire le emergenze e le urgenze, che, anche se adesso può sembrarti strano, incontrerai e incontri tutt'ora ogni santo giorno!

Se proprio non hai urgenze da coprire hai 3 possibilità: ti prendi avanti con gli impegni futuri, suoni, o ancora meglio... ti riposi. Perché il riposo in realtà è molto importante per continuare ad essere produttivi durante tutto l'arco della tua settimana.

Consiglio numero 5: prendi un impegno inderogabile con la tua chitarra.

Immagina una coppia di genitori di 2 figli. Sono tutti e due super impegnati. Il padre che lavora tutto il giorno oltre il limite delle 8 ore. Ormai non sa neanche più cosa voglia dire lavorare nei tempi stabiliti.

La madre lavora 8 ore, ma deve stare dietro alla casa ed alla famiglia, dato che il marito è fuori tutto il giorno. Insomma... non hanno tempo per fare niente. Nessuno dei due.

Ma cosa succede se sparisce uno dei 2 figli? Scommettiamo che trovano almeno 2 ore per andare a denunciare la scomparsa alla polizia? E magari anche 1 giorno intero per andare a cercare il figlio in città.

Lo so, è un esempio estremo, ma questo ti fa capire che in realtà, anche quando pensiamo di non aver tempo, se arriva un impegno di vitale importanza… il tempo lo troviamo. Tutti.

Quindi… fai finta che suonare la chitarra sia di vitale importanza! Prenditi un impegno inderogabile. Cascasse il mondo… ogni giorno suonerai la chitarra.

Addirittura, quando ho pubblicato un video in cui parlavo di questi consigli, una ragazza iscritta al gruppo di Chitarra Facile su Facebook ha commentato così…

"Ma suonare… è vitale!"

Applica da subito almeno uno dei 5 consigli basilari che ti ho dato. Vedrai che nell'arco di una settimana riuscirai a suonare di più della settimana precedente.

Prendila come una sfida! E fammi sapere come va.

STORIE DI NEO-CHITARRISTI

Ciao, la mia passione per la chitarra nasce fin da ragazzo, dai tempi in cui non si avevano i soldi per comprarla. Poi è arrivata, sono passati anni in cui suonavo sempre meno fino quasi a smettere.

Passano gli anni e si avvicina la pensione qualcuno mi dice di non stare tutto il giorno sul divano ma di trovarmi un hobby. È scattata la molla ho ripreso la chitarra e ho detto perché non fare un corso di chitarra visto che non l'ho mai fatto?

Ho trovato Chitarra Facile ho provato ed eccomi qui a distanza di quasi un anno con rinnovata passione poi quando in famiglia mi hanno detto: "ma lo sai che sei diventato bravo?". ***Mi sono sentito al settimo cielo!***

Che altro dire, non mi resta che ringraziare David ed il suo staff per quello che stanno facendo, continuate così e buona musica a tutti.

FESTEGGIA

"Goditi i piccoli passi che stai facendo. Se aspetti la perfezione rimarrai sempre nell'insoddisfazione."

David Carelse

La maggior parte delle persone aspetta ad essere felice per qualcosa solo nel momento di un grande traguardo. Quando finalmente (almeno secondo loro) possono dire: "*Ok, ce l'ho fatta, so suonare al meglio la chitarra*".

Questo modo di pensare però, anche se è molto comune e ci passiamo tutti prima o poi, porta a demotivarsi ed all'insoddisfazione.

Suonare la chitarra non è una di quelle abilità che se ti ci metti in un pomeriggio per 4-5-6 ore di fila a testa bassa, di continuo, alla fine la determinazione ti premierà e saprai suonare alla grande. Non è neanche lontanamente così.

Suonare la chitarra vuol dire fare piccoli progressi, a volte impercettibili, fino all'infinito. Neanche i più grandi chitarristi con tecnica infallibile (vedi John Petrucci, Steve Vai, Joe Satriani, Paul Gilbert, e molti altri...) non smettono mai di cercare di migliorarsi, quindi è abbastanza inutile aspettare la perfezione.

Quello che invece bisogna cercare di fare è il banalissimo "*godersi il viaggio*" e non l'arrivo. Non puoi limitarti ad essere felice solo quando arrivi a suonare come il tuo guitar hero preferito, ma devi essere felice proprio del percorso che stai facendo!

Come fare? Molto semplicemente ogni volta che fai un piccolo passo avanti verso il tuo obiettivo... festeggia!

Hai fatto un cambio di accordi che non riuscivi a fare da tempo? Hai imparato a fare il barrè? Vedi che la tua velocità è aumentata? Hai eseguito un brano o un assolo che stavi cercando di fare da tempo? Oppure hai solo fatto un piccolo passo in avanti verso l'esecuzione di un brano complicato per te in questo momento?

Fermati alla fine della sessione di pratica e festeggia. Come? Tu sai meglio di tutti come premiarti. Ovviamente non deve essere una cosa troppo complicata, deve essere una cosa molto semplice e veloce che puoi fare facilmente.

Puoi decidere per un tuo piccolo rituale che farai ogni volta che ti accorgi di aver fatto un passo in avanti con la chitarra. Ovviamente questa è una cosa molto personale e può variare moltissimo da persona a persona, anche a seconda dell'età.

Se hai più di 30 anni potresti voler bere un goccio di quel whiskey che ti piace tanto. Giusto un sorso per premiarti.

Per una ragazza potrebbe essere interessante un cucchiaino di Nutella. Ecco, per esempio per la mia compagna potrebbe essere un ottimo stimolo e quindi un premio soddisfacente. Io nei confronti del cucchiaino di Nutella sarei alquanto indifferente, anzi, per me sarebbe anche peggio.

Insomma, mi riferisco a quelle cose che sarebbe meglio non facessi sempre in grandi quantità, ma con una buona scusa, come questa, avresti l'occasione di sgarrare e farlo senza sentirti troppo in colpa.

Ovviamente a seconda del premio che ti darai, cambierà la frequenza con cui festeggi. Se vuoi per esempio festeggiare andando a fare un paio di ore in una piscina termale, beh... non è che puoi andarci tutti i giorni, magari in quel caso potresti festeggiare l'obiettivo della settimana.

L'ideale sarebbe avere un premio giornaliero, per i piccolissimi obiettivi, ed un premio più importante per gli obiettivi un po' più complessi che richiedono più tempo, magari un mese o qualche settimana.

Per esempio io ho il corso base che si chiama "Chitarra in 30 Giorni". Un programma che si può riuscire a fare anche in soli 30 giorni in cui parti da zero ed impari a suonare con gli accordi, in modalità strumming, ovvero... nella modalità tipica da spiaggia!

Ecco, puoi metterci 30 giorni, 2 mesi, 3... l'importante è che se hai finito il percorso ed hai raggiunto l'obiettivo e riesci a suonare in modo decente le tue canzoni preferite... devi festeggiare!

E ti assicuro che se segui veramente bene il corso e gli esercizi da fare, difficilmente non riuscirai ad ottenere dei risultati.

Nel frattempo, ogni volta che finisci una lezione facendo anche gli esercizi, puoi festeggiare i "piccoli passi".

Per rendere ancora più facile il riconoscimento dei tuoi piccoli obiettivi raggiunti puoi pianificare gli step. Per esempio, se un obiettivo a medio termine è quello di suonare un brano che ti piace molto, puoi decidere di spezzare l'obiettivo in:

- Imparare la prima strofa
- Imparare il ritornello
- Imparare l'assolo
- Ecc...

In questo modo, se hai ben chiaro lo step intermedio, puoi avere ben chiaro quando devi festeggiare.

STORIE DI NEO-CHITARRISTI

Ciao sono Alessandra Trevisan, ho 38 anni ancora per poco e sono attualmente disoccupata.

Circa 6 anni fa ho acquistato online una chitarra elettrica con amplificatore ed ero tanto contenta, come se avessi vinto qualcosa, da quanto era bella.

Ho pensato di acquistarla perché un bel giorno finché in macchina ascoltavo "Smell Like Teen Spirit" dei Nirvana mi son "vista" con la chitarra in mano…

Ci ho pensato un po' e mi son detta perché no? In fondo sono sempre stata circondata da gente che suonava (sono stata assieme 6 anni ad un ragazzo che suonava la chitarra elettrica e mi faceva sentire i suoi nuovi riff al telefono... forse sono cose comuni a tutti i chitarristi).

Da sola, grazie ad internet e un libro per principianti, ho imparato gli accordi maggiori. Mi sono poi iscritta ad un corso per principianti, ma non ne ho capito molto l'aiuto, è durato solo 3 mesi perché costicchiava. Ho accantonato la chitarra e adesso dopo un bel po' di anni mi ha incuriosito un "mi piace" su Facebook di Chitarra Facile ed ho approfondito guardando un po' il programma.

Ho seguito le lezioni gratuite e poi ho acquistato il corso.

Le difficoltà che sto trovando? Non arrendermi ai barrè e acquisire dimestichezza con le varie ritmiche, oltre a dover sciogliere le dita.

Sto seguendo le video lezioni di David e vedo che applicandomi e ascoltando i suoi consigli riesco ad ottenere qualcosa di buono.

Ho trovato il costo accessibile e competitivo (visto che so quanto mi è costato l'altro corso), mi piace e trovo a me utile quando spieghi i brani ed elenchi a voce gli accordi che si susseguono perché non riesco ancora completamente a staccare gli occhi dalla chitarra per leggere che accordo devo suonare.

In questo periodo in cui sono disoccupata ***il corso mi serve anche per tenere allenato il***

cervello *in quanto a memoria e coordinazione dei movimenti. Che bella terapia no?*

Che altro dire, ora quando ascolto una canzone che mi piace cerco di capire se la chitarra è facile da eseguire e poi mi guardo gli accordi... è normale o ritornerò ad ascoltare una canzone senza pensare alla chitarra?

Questo è tutto.

Grazie
Alessandra

USA IL POMODORO!

"Il lavoro si espande fino a occupare tutto il tempo disponibile; più è il tempo e più il lavoro sembra importante ed impegnativo."

La legge di Parkinson

Viviamo nell'epoca della distrazione. Siamo continuamente distratti e interrotti da qualcosa. Compagnie telefoniche che ti chiamano per venderti qualcosa, messaggi sul telefono, gruppi di Whatsapp, notifiche di Facebook, ecc...

Per scrivere questo libro mi sono preso delle mattinate intere libere in cui ho dovuto spegnere il cellulare, disattivare qualsiasi notifica sul computer e chiudere le email, per esempio. Se non l'avessi fatto non sarei riuscito a finire neanche in 2 anni.

Le distrazioni sono un grosso problema. Ancora di più perché noi stessi non ci rendiamo conto di quanto influiscano sulla "non riuscita" di qualsiasi nostro obiettivo.

Un chitarrista che mi dice che ha studiato chitarra per 1 ora, in realtà, se andiamo a calcolare veramente il tempo passato a suonare o fare esercizio, ha suonato per massimo 40 minuti. Assicurato. Questo nella migliore delle ipotesi, ma con molta probabilità si tratta di meno tempo.

Se potessi, mi piacerebbe fare un test di questo tipo: mi metterei di nascosto a cronometrare il tempo che passa un chitarrista ad esercitarsi nell'arco di un'ora. Ovviamente io sospenderei il tempo ogni volta che si ferma per rispondere ad un messaggio, rivolgersi a qualcuno che gli chiede qualcosa dal vivo, controllare Facebook, mangiare qualcosa, bere, rispondere ad una telefonata, rispondere al citofono, ecc...

Sono certo che dopo 1 ora che quella persona ha creduto di suonare, il cronometro non segnerebbe neanche 40 minuti effettivi.

Ripeto, non è colpa nostra! Non siamo noi chitarristi che abbiamo il gene della distrazione (oddio, in effetti questo potrebbe anche essere). Viviamo in un'epoca in cui è veramente difficile evitare di essere pieni di cose da fare e pieni di interruzioni continue tutto il giorno.

Però, ti rendi conto di cosa vuol dire buttare via 20 minuti? Non dico che li devi passare per forza a suonare ma certamente, se riuscissi a suonare senza distrazioni, quei 20 minuti li potresti utilizzare come meglio credi, anche semplicemente per riposarti, passare il tempo con la tua famiglia, con gli amici o per fare altre cose importanti di tutti i giorni!

Ma il vero problema non è neanche quello di perdere 20 minuti. Il vero problema è che se stai facendo qualsiasi cosa in cui ti serve concentrazione e qualcuno ti interrompe, anche se riprendi subito dopo, non riuscirai mai ad avere il massimo della concentrazione che avevi all'inizio! Ci sarà un lasso di tempo nel quale dovrai rientrare nel flusso di idee e pensieri iniziali. E prima di riuscire ad arrivare al massimo picco di concentrazione e prestazioni… potrebbe arrivare già una nuova interruzione.

Quindi… ecco spiegato perché alcuni aspiranti chitarristi mi dicono che ci provano e suonano tutti i giorni ma non riescono ad ottenere miglioramenti. Nel loro caso è meglio non suonare e riprovarci quando non potranno essere distratti, perché esercitarsi e studiare in questo modo è del tutto controproducente.

Per esempio, il metodo Chitarra Facileä, il metodo innovativo che ho creato e continuo a migliorare ogni mese, il metodo con cui creo tutti i corsi di chitarra, è fatto in modo da agevolare in te la creazione dello “stato di flusso” (ho studiato bene tutti gli studi dello psicologo ungherese che ha creato questa teoria per cercare di ottenere i migliori risultati, lo psicologo è il dott. Mihály Csíkszentmihályi).

Lo stato di flusso è quando ti immergi completamente in quello che stai facendo e lo fai così tanto che ti dimentichi anche di andare in bagno, mangiare, bere e le tue prestazioni raggiungono un picco assoluto. Succede a volte negli adulti quando magari stanno lavorando a qualcosa che li appassiona molto e la considerano una sfida, oppure nei ragazzi quando sono davanti ad un videogioco (questi infatti sono tutti creati per cercare di ricreare questo stato di flusso).

Come si crea questo stato di flusso? Se vogliamo semplificare molto, lo stato di flusso si crea quando il livello di

difficoltà di ciò che stai facendo, cresce costantemente in modo proporzionale alle tue abilità, come vedi nel grafico qui sotto:

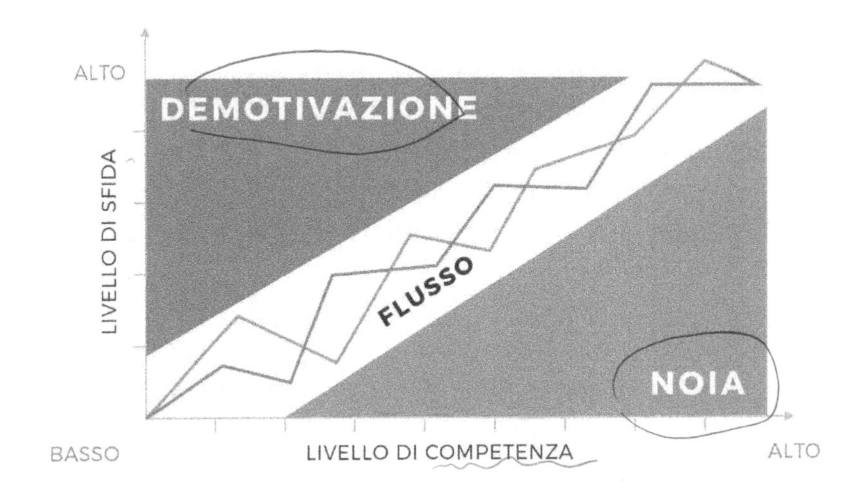

Se il livello di sfida è troppo alto perdi la motivazione, cosa che succede per esempio con gli altri corsi di chitarra che seguono il metodo classico, un metodo rigido e difficile, mentre se il livello di sfida è troppo basso ti annoi e la sfida non è più interessante, cosa che invece può succedere ad esempio con i videogiochi o le applicazioni per suonare la chitarra che cercano di renderti tutto troppo simile ad un gioco. Bisogna rimanere nel mezzo. Se no quello che succede è che si abbandona il percorso dopo un po'. Inevitabilmente.

Ecco, io sicuramente ho cercato di agevolare molto i chitarristi in questo, ma ciò ovviamente non funziona, o comunque funziona molto peggio se il chitarrista interessato non riesce ad eliminare le interruzioni dalla sua vita mentre si dedica alla chitarra.

Ma qui non voglio parlare di teorie, chi mi segue da un po' di tempo sa che io sono una persona molto pratica. Ecco quindi 2 semplici e banali consigli per provare ad eliminare le pause involontarie.

1 - Fai di tutto per NON avere tentazioni. Quello che voglio dire è che devi "vincere facile". Non devi cercare di ignorare le distrazioni, ma devi fare in modo di non dover neanche cadere in tentazione. Quindi non ti consiglierò di ignorare le notifiche di Facebook o i messaggi. Ti dirò di spegnere proprio il cellulare, oppure di metterlo in modalità "aereo" o "non disturbare". In questo modo non saprai neanche se ci saranno delle notifiche.
   Questo vale anche per le persone che sono nella tua stessa casa o stabile in quel momento. Se ci sono persone che potrebbero disturbare devi assolutamente avvisare che "non possono interromperti" per il tempo che deciderai tu, che potrebbe essere un'ora, 20 minuti o quello che vuoi in base al tuo stile di vita.

2 - Usa il pomodoro. Anzi, usa un timer. Aspetta, questa te la voglio spiegare bene.

Prima di tutto, dove puoi trovare un timer? Esistono quelli da cucina, esistono quelli sul telefono (che ti sconsiglio di utilizzare se non metti la modalità aereo), esistono quelli per computer, ci sono molte varianti devi solo scegliere.

Seconda cosa importante, devi avere ben chiaro l'obiettivo di quella sessione d'esercizio. Per esempio: "voglio velocizzare il cambio degli accordi tra Fa e Do", oppure "voglio fare le sestine a 100 bpm di metronomo", o ancora "voglio imparare a suonare questo brano". L'importante è che tu abbia ben chiaro l'obiettivo finale che devi riuscire a fare entro lo scadere del timer.

Il timer ti metterà la giusta pressione per raggiungere il tuo obiettivo entro lo scadere del tempo.

Ma quindi cosa c'entrava il pomodoro?

Alla fine degli anni '80, Francesco Cirillo, di origini italiane, inventò una strategia di gestione del tempo molto semplice, ma che diventò famosa in tutto il mondo e che chiamò: "La Tecnica del Pomodoro".

Il nome della tecnica deriva da quei timer da cucina a forma di pomodoro che erano tanto famosi all'epoca.

La tecnica è suddivisa in passi, ed è:

- Scegli l'attività da completare
- Prenditi 25 minuti di tempo utilizzando il timer
- Dedicati a quell'attività e nient'altro
- Dopo 25 minuti ti prendi una pausa di 5 minuti
- Riprendi per altri 25 minuti l'attività
- Poi ogni 4 sessioni (pomodori) fai una pausa più lunga di 15-20 minuti

Perché questa strategia funziona? Perché c'è una legge nota come la legge di Parkinson che hai potuto leggere all'inizio del capitolo, ma che ti ripropongo qui. Questa legge dice pressappoco così:

"Il lavoro si espande fino a occupare tutto il tempo disponibile; più è il tempo e più il lavoro sembra importante e impegnativo."

La legge di Parkinson

In poche parole, se io ti do 3 giorni di tempo per fare un qualsiasi compito, che magari per farlo ci metti un'ora, comunque ci metterai 3 giorni a farlo. Mentre se ti do un'ora, ci metterai proprio un'ora.

Quindi se io ti darò un tempo più ampio, riuscirai a sprecare tutto questo tempo fino ad occuparlo interamente per ottenere lo stesso obiettivo.

Quindi evitiamo la legge di Parkinson. Facciamo sessioni piccole di 25 minuti ciascuna, cerchiamo di fare il possibile per raggiungere l'obiettivo e vedrai che riuscirai a conseguire molti più risultati con la stessa quantità di tempo impiegato!

STORIE DI NEO-CHITARRISTI

Ciao, sono Stefano Zorzetto, ho 42 anni ed abito a Venezia. Sono MANAGEMENT CONTROL INDUSTRIAL (vuol dire amministrativo, ma volevo fare lo sborone :-D)

C'era una volta... ma forse c'è ancora, un bambino di 7 anni appassionato per quella cosa chiamata Musica. Già, perché quel bambino cantava "Avrai" di Claudio Baglioni con il fratello maggiore che lo registrava con un vecchio mangianastri. Correva l'anno 1982.

Da quel giorno non ho più smesso di giocare con la musica e forse non sono nemmeno più cresciuto. Cantante? Ebbene si! Più che altro emetto versi più o meno composti di musica pop, anche se posso dire che ne ho combinate fino ad ora… dal Rap, funky, gospel, canto corale, qualche nota di pianoforte giusto per il solfeggio, ecc.. poi?

Poi anche i bravi ragazzi possono frequentare brutta gente hai presente quelli che stanno tutti sudati dietro a quel coso che chiamano mixer, o in quelle stanze strette con delle persone con strumenti in mano al di là di un vetro, spesso che sono convinte che tu le senti quando parlano ma in realtà tu hai chiuso le cuffie e vedi solo facce strane mentre pensi se sia più carino un cavo rosso o giallo, si ecco, i "tecnici del suono" mi pare si chiamino così.

Nooo sono diventato uno di loro! Nooo! Già e indovinate un po', lì **ho scoperto una creatura che credevo esistesse solo nella mitologia greca, IL CHITARRISTA.**

Ora cosa può nascere tra un mezzo cantante "maiacalfonico" e IL CHITARRISTA?

ODIO! Solo ODIO. Si hai letto bene, perché il chitarrista va benone se sei in spiaggia davanti a un falò, ma non sopra un palco con un'elettrica. È un drogato di Watt. Del resto è come dare a un bambino una macchinetta telecomandata e dirgli di andare piano, chiaro che va a manetta e poi si schianta.

La differenza che la macchinetta si schianta sul muro, il chitarrista si schianta nelle parti basse che e non si chiamano orecchie. Il chitarrista è un ribelle che si ribella ai ribelli… ma cosa te lo dico a fare, tu sei uguale. NO?

Tu non hai mai detto, per me quello è fuori, non mi sembrava essere così alto, oppure, ma se non mi sento nemmeno. Ridi?!?.. è un girone Dantesco, il vorrei sentire di più la chitarra in spia, giusto perché quel muro di suono che hai dietro non lo senti. Aggiungiamo anche il fratellino minore che ripetutamente ogni pomeriggio suonava "Nothing Else Matters" è palese che la mia stima verso il chitarrista e stata tutta in salita, No? finchè un giorno...

Già quel giorno, uno come tanti, un parente mi dice: Stefano tu che sei in mezzo a quel mondo se senti un ragazzo del conservatorio che ha bisogno di una chitarra classica dimmelo che ne ho una da regalare.

"Ok" dico io, "passo a prenderla". Eccomi a tu per tu con lo strumento esoterico, una custodia impolverata, cerniere arrugginite, li per li non la considero ma una cosa più forte di me mi spinge ad aprirla.

Aprimi aprimiii…

Ok, lo faccio!

Adagiata su un rivestimento rosso c'era lei, lei una Leone Sanavia del 1960. Bella elegante, profumata di storia, una che parla delle mani del proprio liutaio, insomma una gran bella signora.

Ora un bel guaio! E adesso? che faccio? La do via? Non posso! È il MIO TESOROOOOOOOOO. Ok ci provo devo imparare a suonare, ma… No! Non posso. Odio i chitarristi, non esiste.

Poi come una visione mistica appare lui… mio nonno e mi dice: "Ragazzo, ricordati che se vuoi sconfiggere il nemico lo devi conoscere". Forse ho esagerato con l'aerosol…

Ok ok, ho capito… ci sono.

Perfetto sono pronto, motivato al 100%! Certo motivato si ma non ho tempo di andare da un maestro, ho una famiglia, un bimbo di 2 anni,già il mio gruppo con le serate, porta via tempo, i gruppi che seguo,figuriamoci se ho tempo.

Ok, autodidatta? A tempo perso…? Se! Vediamo cosa trovo. Cerco, trovo Chitarra Facile un certo David… chiiiii? Eccolo li, il classico sorrisetto da chitarrista. Ok provo, lezioni gratuite, non mi costa niente.

No… non ci credo! Ho suonato la mia prima canzone! Ma guarda te sto personaggio. Bravo sto David. Sono lento però. Ok, mi ha convito, acquisto "Cambio Accordi Intensive Training". Arriva la busta e… Immaginate un po', no! Un Padovano, ma allora Dio esiste, si perché già far suonare me una chitarra è stata una impresa, poi vedere che il tuo maestro è padovano non ha prezzo dato che sono di origine Veneziana.

Puro amore. Tutti sanno la stima reciproca tra veneziani e padovani, no? Non hai capito? Vuoi un esempio di amore? In pratica come se tu fossi romanista e il tuo maestro è della Lazio.

AMORE… no?! A parte gli scherzi devo dire che il passo è stato molto breve a "Chitarra in 30 Giorni" e pian piano ora suono le mie canzonette divertendomi.

Ora mi ritrovo con 2 chitarre classiche, un'acustica e 2 elettriche. Maledetti!

La verità: "Passione porta passione, se la passione ti viene trasmessa e ti diverti viene tutto più facile"

O mio Dio!! Nooooo. Sto diventando un chitarrista. AIUTOOOOOOOOOOO!

Ps: Ho male le dita è normale?

Stefano

6 Step per Imparare Brani Difficili

"Chi desidera vedere l'arcobaleno, deve imparare ad amare la pioggia."

Paulo Coelho

"Siate affamati, siate folli"

Steve Jobs

Ci sono dei momenti in cui vogliamo imparare dei brani che sono altamente alla nostra portata, quindi cerchiamo un tutorial di un brano che sappiamo possa essere facile da apprendere, seguiamo il tutorial e nel giro di pochi minuti ecco che stiamo già suonando quel brano.

Aaaahhh… che bello!

Bello, ma non bellissimo e così soddisfacente come decidere di imparare un brano al di fuori della nostra portata. Sudare, passare giorni e magari settimane a studiarlo… e poi finalmente riuscirci!

Stupendo! A volte, noi chitarristi abbiamo proprio bisogno di spingerci un po' più in là. Provare ad impegnarci per un brano che ci piace un sacco ma che risulta molto difficile.

La stessa cosa vale anche per gli esercizi. Ce ne sono alcuni che sono assolutamente più difficili e meno immediati di altri.

Bene, in questo capitolo vediamo 6 consigli in 6 step per affrontare lo studio di un brano molto più difficile rispetto a quelle che sono le nostre abilità. Ricorda che non esistono brani "oggettivamente" difficili, bisogna sempre paragonarli alle nostre abilità acquisite. Per una persona che ha appena iniziato, anche un brano "da canzoniere", con gli accordi, può essere una bella sfida. Dipende sempre dal contesto.

#1 – Pazienza

Prima di tutto devi avere pazienza. Più le tue abilità sono distanti da quelle che servono per suonare quel brano, più ci vorrà tempo. Quindi datti tempo e abbi pazienza.

È fondamentale! Soprattutto perché è molto facile ricadere nella sindrome da "voglio tutto subito". Ma devi combatterla. Cerca di guardare più avanti, avere una visione più a medio termine, evitando quella a breve termine.

Vedo tante persone che quando approcciano a qualcosa di difficile, fanno qualche prova, vedono che non ce la fanno e mollano subito. Non puoi aspettarti di ottenere subito quello che stai cercando di fare se si tratta di un obiettivo ambizioso.

Cerca di darti ipoteticamente molto più tempo di quello che pensi possa servire. Questo ti permetterà di arrivare all'obiettivo finale con molta più leggerezza mentale, meno ansia e meno stress.

#2 – Sembra Sempre Impossibile

Ricordati di quello che ti ho detto nelle prime pagine di questo libro. Tutto sembra impossibile fino a che non ci riesci. Anche in questo caso è così.

All'inizio ci proverai e magari non riuscirai a fare neanche i primi secondi. Mi è successo! Però ci vuole un po' di tempo prima di ottenere qualcosa di buono se stai studiando qualcosa di difficile per te.

È naturale che ti sembri impossibile, anche perché se quello che stai facendo sapevi sarebbe stato difficile, con molta probabilità non hai le abilità che servono per suonare quel brano e per questo devi crearle. Devi creare delle nuove abilità. Ti stai spingendo oltre!

#3 – Il Metronomo è il tuo migliore amico

Mai come in questo caso il metronomo deve essere il tuo migliore amico.

Il metronomo serve proprio a spingersi oltre. Se non riesci a fare qualcosa, vuol dire che devi rallentare, fare un passo indietro (a volte anche più di qualche passo) e provare ad eseguire quella cosa ad una velocità molto più lenta.

Puoi avere un metronomo analogico, puoi avere un metronomo fisico, puoi averlo digitale, puoi averlo sul computer, sul tablet o sullo smartphone... l'importante è che da qualche parte tu abbia un metronomo, se no imparare brani difficili sarà un'impresa impossibile.

Come si utilizza il metronomo per studiare brani difficili? Molto semplice.

Se sto imparando un pezzo che ha un ritmo a 120 bpm, imposto il metronomo magari a 60 bpm (deve essere un ritmo a cui l'esecuzione della canzone mi può riuscire in modo assolutamente facile), eseguo il brano nel miglior modo possibile (non deve essere un'esecuzione meccanica, deve essere proprio come se il brano fosse a quella velocità, quindi devi dargli la giusta espressione), quando vedo che il pezzo che sto studiando lo riesco ad eseguire molto bene a quella velocità allora velocizzo di qualche bpm, per esempio alzo i bpm a 65. Continuo a fare l'esecuzione del brano e poi quando lo suonerò in modo assolutamente corretto continuo ad alzare i bpm e così via.

Questo è l'unico modo per riuscire ad eseguire esercizi o brani molto più difficili di quelle che riesci a fare di solito.

#4 – Spezza l'obiettivo

Cosa vuol dire spezzare l'obiettivo? Vuol dire che se io ho un assolo di 1 minuto, spezzerò l'obiettivo per non concentrare lo studio dell'assolo tutto in un giorno.
Quindi farò oggi i primi 20 secondi, domani mi darò l'obiettivo di arrivare a 40 e il terzo giorno avrò come obiettivo quello di completare l'esecuzione.

Molto semplice, però questo ti permette di avere una sana pianificazione del tuo obiettivo. Se non lo spezzi rischi di esercitarti troppo oggi, perdere la motivazione e domani non ti alleni più. Oppure in un giorno arrivi ad un tot di secondi e ti sembra di non aver fatto abbastanza, quando magari sei già a più di metà. Insomma... se hai chiaro l'obiettivo spezzato ti puoi gestire lo studio molto meglio.

Diversamente puoi dividere l'obiettivo in modo diverso facendo il primo giorno tutto l'assolo, ma ad una velocità più lenta.
Il secondo giorno aumenti un po' la velocità ed il terzo giorno lo fai alla velocità giusta.

2 consigli: prima di tutto devi tenerti sempre molto largo/a con gli obiettivi. Nel senso che se pensi di riuscire a fare tutti i primi 30 secondi oggi ok, ma fai finta che tu debba arrivare solo a 20.
Secondo, ovviamente il tempo che ti darai per imparare il brano deve essere proporzionale con la distanza che c'è tra le tue abilità odierne e quelle che servono per suonare quel brano.

#5 – Riposa

Non dimenticarti mai di fare delle pause e di riposare. Quando cerchiamo di imparare brani o esercizi difficili ci buttiamo sempre a capofitto per raggiungere il nostro obiettivo.

Il problema è che portiamo il nostro corpo ad avere un sovraccarico di stress muscolare e mentale ed arriviamo ad un certo punto in cui funzioniamo molto peggio di come siamo partiti, perché la muscolatura si irrigidisce e la mente non riesce più a starci dietro.

In pratica, dopo un po' che proviamo quel brano, assolo o esercizio, lo facciamo addirittura peggio di come siamo partiti all'inizio. Ecco, in questo caso vuol dire che ci siamo spinti troppo oltre e ci serve una pausa di almeno 5 minuti.

In alcuni casi serve uno stop totale di 1 giorno, anche perché se poi i muscoli si sono affaticati, ci metteranno un bel po' prima di tornare ad essere di nuovo operativi al massimo.

Ovviamente è molto meglio fermarsi quando ancora siamo freschi e fare delle mini-pause di 2 minuti e riprendere. Non dovremmo mai arrivare al punto in cui siamo completamente rigidi e senza forze.

#6 – Costanza

Qualsiasi grande obiettivo, e qui non sto parlando solo di chitarra, ma in generale nella vita, si raggiunge solo se ci mettiamo grande impegno con una costanza martellante.

Dobbiamo continuare ad insistere come un martello su un chiodo, ogni giorno senza fermarci un attimo.

Come dico sempre, è meglio esercitarsi poco, ma tutti i giorni, piuttosto che 4 ore oggi e poi fermarsi una settimana. La costanza fa miracoli, te lo assicuro. In qualsiasi ambito della vita.

Bene, quindi la prossima volta che vuoi imparare un brano, un assolo o un esercizio molto complicato rispetto alle tue abilità... rileggiti questo capitolo e controlla se stai facendo tutto il necessario per raggiungere il tuo obiettivo ambizioso!

Come sempre, ovviamente, se poi vorrai scrivermi per farmi sapere i tuoi risultati puoi tranquillamente farlo per email (david@chitarrafacile.com).

STORIE DI NEO-CHITARRISTI

Ciao, sono Claudio Saolini, ho 63 anni e sono un ex dirigente industriale. Tra un paio di mesi sarò un dipendente INPS e mi piacerebbe fare diverse cose che durante i 40 anni dedicati al lavoro non trovavano spazio nelle mie giornate. Una di queste è "strimpellare" con la chitarra le mie canzoni preferite.

Mi piacciono molto gli strumenti musicali, ma la chitarra è il mio vecchio amore e navigando qua e la sul web in cerca di suggerimenti e tutorial, mi sono imbattuto in diversi siti che propongono metodi più o meno simili.

Tra questi c'era anche Chitarra Facile che tra le diverse cose che mi sono piaciute come la chiarezza e la semplicità di David nello spiegare le cose ce ne sono poi un paio che mi hanno fatto scegliere questo corso.

Una è il discorso del barrè, ma non tanto per la difficoltà in sé per chi inizia ma il motivo logico del perché è giusto impararlo dopo, quando si è un po' più padroni dello strumento.

L'altro motivo che mi ha dato l'ulteriore spinta a sceglierlo, essendo io abituato a lavorare per decenni sul raggiungimento dei risultati, è stato quello di dare subito un riscontro su dei risultati immediati seppur minimi che si possono raggiungere mentre si va avanti nel percorso di apprendimento, che come ho già detto spero mi porti a divertirmi con la chitarra senza nessuna velleità di fare di più che suonare a livello amatoriale. Quello che io definisco "strimpellare".

Prendendo lo strumento in mano mi convinco sempre di più che è come avere un amico in più, se si è soli è di grande compagnia e se si è con amici lo è ancora di più per il suo potere di aggregare e rallegrare la compagnia.

Più ti alleni, peggio suoni

"Fare delle pause quando ti alleni crea l'illusione mentale che stai perdendo tempo quando invece lo stai solo guadagnando"

David Carelse

Quando avevo circa 15 anni mi sono messo in testa di imparare un brano pazzesco di Steve Morse. Conosci questo chitarrista? Ultimamente è un po' più conosciuto di prima in quanto sta attualmente suonando con i Deep Purple.

Si tratta di un chitarrista incredibile, che tiene il plettro in modo "sbagliato", ma riesce a creare un suono ed a suonare con una fluidità incredibile anche ad alte velocità. Quello che apprezzavo di più di Steve Morse era proprio il suo suono ed il suo "modo di suonare".

Tieni presente che uno dei chitarristi che viene spesso citato come uno dei più tecnici al mondo, John Petrucci, chitarrista dei Dream Theater, si è rivelato essere un fan di Steve Morse. Quindi i Deep Purple non hanno di certo scelto un chitarrista a caso, anche se lo conoscevano in pochi.

Il brano che mi ero messo in testa di suonare è incredibile. Ti consiglio di provare a cercarlo adesso ed ascoltarlo, si chiama *StressFest* della Steve Morse Band. Solo 3 strumenti, chitarra, basso e batteria, che creano un'atmosfera unica.

La cosa pazzesca della chitarra è che è un continuo macinare di note velocemente, ma con tanta espressività e con tantissime modulazioni, tocchi e modi di suonare differenti. Ad altissime velocità puoi sentire 4-5 note stoppate con il palmo della mano destra (palm muting), poi un bending di 1 tono libero da muting e pochissimi legati.

Un brano tecnicamente fuori dalla mia portata in quegli anni (e probabilmente anche adesso se si vuole eseguire correttamente e con la stessa espressività).

Già dal titolo dovevo immaginarmelo che sarebbe finita male. Credo sia stato in quei giorni che sono diventato imbecille come lo sono adesso.

Comunque, come ho spiegato nel capitolo precedente, mi sono messo con il metronomo e tanta pazienza a provare e riprovare le varie parti del brano.

Quindi partendo da un tempo molto più lento e alzando costantemente la velocità.

È sorto però un problema che ho riscontrato diverse volte, ma mai come quella volta. Mi sono accorto che arrivato ad un certo punto non stavo più progredendo, ma stavo regredendo. Non stavo migliorando, stavo peggiorando ad ogni esecuzione dopo circa mezzora che stavo suonando.

Sono migliorato per circa 20-30 minuti, ma poi ho cominciato a vedere che non riuscivo più neanche a fare le cose che facevo prima tranquillamente. Ogni volta che riprovavo facevo più errori dell'inizio. Ti è mai capitato?

Ecco, cosa era successo? Dopo un po' che cerchi di portare al limite i tuoi tendini e muscoli, questi si irrigidiscono e potrebbero infiammarsi. Ma anche senza arrivare all'infiammazione, i tuoi muscoli hanno dei limiti, ovviamente.

È come quando vai in palestra, tiri su, per esempio, 20 chilogrammi per braccio con i manubri e fai 10 ripetizioni. Se arrivi al limite, non è che riprendi a fare 20 chilogrammi per altre 10 ripetizioni, non ce la fai perché i tuoi muscoli si sono già stancati prima!

Con la chitarra è lo stesso, quindi la soluzione è forzare delle pause.

Perché dico "forzare"? Perché molti chitarristi non si fermano fino a che non sentono che sono stanchi, ma in realtà a quel punto è già troppo tardi e dovresti fermarti per un giorno. Invece devi sforzarti di fare delle pause anche quando non senti ancora nessun dolore, affaticamento o fastidi.

Per esempio potresti fare una pausa di 1 minuto ogni 5. Mettiti un timer sullo smartphone... Così puoi pensare solo all'esercizio e sarà il timer a ricordarti le pause.

Questo è obbligatorio se stai facendo degli esercizi che stressano la muscolatura, i tendini e la mente (nel caso che ti ho accennato prima venivano stressati tutti e tre). Si, si può stressare anche la mente perché si affatica per ricordarsi tutte quelle veloci sequenze di note.

Devi renderti conto che le pause sono importanti esattamente come l'atto di fare pratica.

Quando arrivi al punto a cui mi sono trovato io non ha nessun senso continuare, perché non migliorerai più. Neanche se fai delle lunghe pause. In quel caso è necessario fermarsi per un giorno (ovviamente poi dipende da quanto ci mette il tuo corpo a recuperare, quindi dipende anche da molti fattori, in media se arrivi a quel punto è meglio fermarsi per un giorno).

Costringiti a fare delle pause! All'inizio penserai che stai perdendo tempo, ma la realtà è che sta succedendo esattamente il contrario: se non ti fermi vai avanti magari 30 minuti, facendo delle pause puoi allenarti in quella sessione per 1 ora! Quindi alla fine non stai assolutamente sprecando del tempo, anzi, stai guadagnando giorni!

STORIE DI NEO-CHITARRISTI

Ciao mi chiamo Daniele ed ho 24 anni, vivo e studio ingegneria a Torino.

Ho sempre pensato di iniziare a suonare uno strumento e la chitarra era quello che mi suscitava più interesse. Ho scoperto Chitarra Facile questo gennaio tramite YouTube mentre cercavo qualche tutorial sulle canzoni di Ed Sheeran (il mio chitarrista preferito).

Sono rimasto particolarmente colpito dalla modalità d'insegnamento. Ascoltando le tue parole ho capito che probabilmente suonare la chitarra non era un'attività per pochi, ma con la pratica e la costanza, tutti si sarebbero potuti divertire replicando i loro brani preferiti.

Io al momento della scoperta di Chitarra Facile non possedevo ancora una chitarra, la svolta è stata l'acquisto del biglietto per il concerto di Ed Sheeran e in quel momento ho capito che dovevo assolutamente iniziare a suonare.

Ho acquistato una chitarra ed il corso "Chitarra in 30 Giorni" circa 20 giorni fa. Ammetto di non aver riscontrato parecchie difficoltà, le lezioni sono estremamente chiare ed efficaci, ti danno la possibilità di imparare le basi ed allo stesso tempo (cosa più importante a mio parere) ti fa divertire.

Suono solo da poche settimane, più suono più mi diverto e più non riesco a capire come ho fatto a non iniziare tanti anni fa. Colgo l'occasione per fare i miei complimenti a David, ha fatto un grandissimo lavoro ed i risultati parlano per lui, quindi…

Grazie :)
Daniele

Domanda Brutale per Te!

"Tutto si riassume in una sentenza molto semplice: esistono buone e cattive maniere di fare le cose. Si può allenare il tiro otto ore al giorno, ma se la tecnica è sbagliata, avremo un giocatore che sarà buono per tirare male."

Michael Jordan

Principalmente e seriamente di sport ne ho fatti e amati 2 nella mia vita: il calcio e la pallavolo.

Ho giocato a calcio da quando avevo 6 anni a 12 e poi ho fatto 2 anni di pallavolo. Ho smesso di giocare a pallavolo perché mi portava via troppo tempo. Tre allenamenti da 2 ore più la partita. Difficile avere pure una vita sociale, familiare, studentesca ed un altro hobby come la chitarra.

All'età di 26-27 anni però, mi è tornata la voglia di giocare a pallavolo, così mi sono fatto altri 2 anni di pallavolo, ma non amatoriale, in terza categoria (la categoria non-amatoriale più bassa, anche perché per quanto si dica, nella pallavolo conta molto anche l'altezza e io di certo non sono uno stangone anche se fortunatamente saltavo come una cavalletta).

Sono durato solo 2 anni perché poi mi sono rotto un piede giocando proprio 23 giorni prima di partire per l'America, in

California con un mio caro amico. Non è stata la prima volta che mi sono rotto delle ossa, in passato avevo fatto un'altra frattura scomposta ad un piede, una frattura ad un mignolo della mano destra, una frattura scomposta ad un dito della mano sinistra con tanto di rottura dei legamenti... insomma, mia mamma dice sempre che abbiamo l'abbonamento al reparto di ortopedia a Padova.

Ma quella volta è stata più traumatica del solito, proprio perché avevo già speso qualcosa come 1600 euro per il volo, alberghi, ecc... Inoltre, se non mi toglievano il gesso, di certo non sarei riuscito a fare un viaggio di quel tipo in aereo in quanto mi faceva troppo male tenere il piede verso il basso e comunque sarebbe stato troppo scomodo andare in giro per l'America con il gesso. Quindi rischiavo di non andare in California, lo stato in cui, per diversi motivi personali, mi piacerebbe viverci. Mi sono fatto togliere il gesso in anticipo ed ho sofferto molto in quella "vacanza" tra stampelle, "saltellamenti" vari e prove per appoggiare quel piede che mi procurava un dolore incredibile. Dopo quella esperienza ho deciso di smettere con la pallavolo e di cominciare a fare qualcosa di più tranquillo (tipo briscola per esempio, ahahaha no dai scherzo... più o meno).

Nella nostra squadra giocava anche un allenatore molto in gamba che allenava categorie più alte e che si metteva a giocare con noi per divertimento. Lui ripeteva costantemente questa frase:

"Le partite si vincono sui fondamentali".

Cosa vuol dire? Significa che anche in Serie A1, conta poco il super attacco o la super schiacciata. Se padroneggi i fondamentali, che sono il palleggio, il bagher e la battuta, vinci comunque la partita.

Ok, può sembrare strano, però a prova della sua tesi, ogni volta che c'era una partita dell'Italia e ne discutevamo, lui riusciva a farci notare quanto gli errori o i modi errati di fare i fondamentali potessero influire sul gioco e sul punteggio della partita. Ed effettivamente influivano incredibilmente tanto, pur essendo una partita della nazionale.

Altro che il super salvataggio o la super schiacciata... i fondamentali avrebbero fatto stravincere la partita ad una delle due squadre. Anche perché, a parte gli errori evidenti, molto banalmente, se nella squadra quello che riceve esegue una bella ricezione, poi il palleggiatore riuscirà ad alzare meglio all'attaccante che si troverà in una posizione più comoda proprio per attaccare in quell'azione. Quindi grazie ai fondamentali (la ricezione), l'azione prende completamente tutta un'altra piega e le cose più avanzate possono venire meglio.

Questa cosa vale in tutti gli ambiti, anche nella chitarra!

Come si fa per esempio a migliorare il tapping, che è una tecnica avanzata con la chitarra? Semplice, il tapping è formato da hammer-on e pull-off che sono due tecniche abbastanza fondamentali, quindi migliorando quei fondamentali, migliori anche il tapping o comunque ti riesce più facile.

Parliamo di velocità? Se un chitarrista suona male un esercizio o un brano a 40bpm di metronomo, probabilmente ad alte velocità questo "suonare male" si amplificherà!

Questo è importante, perché alcune persone vogliono migliorare la propria velocità ancora prima di aver sistemato i propri fondamentali. Prima di tutto bisogna suonare alla grande e padroneggiare in modo superbo i fondamentali, se no poi è difficile arrivare a suonare in modo interessante ad alte velocità.

Allo stesso modo, se suoni qualcosa ad una velocità molto lenta, ma con cuore, espressività, un bel suono, ecc... l'esecuzione diventa stupenda quando imposterai il metronomo a velocità più elevate, perché non avrai solo un'esecuzione veloce, ma sarà rapida e molto espressiva.

Allora voglio farti una domanda brutale...

Come suona un brano facilissimo eseguito da te?

Prova a fare un passo indietro. Prova a registrarti mentre suoni un brano molto facile. Riascoltati e nota com'è il risultato. Quello che sentirai potrebbe stupirti!

Se non ti piace il risultato finale, torna indietro e ripassa i fondamentali!

Ricomincia da capo. Torna a fare quegli esercizi che facevi quando avevi iniziato e cerca di eseguirli meglio di chiunque altro. Ricordati che un grande chitarrista si distingue dagli altri chitarristi quando suona qualcosa di semplice.

STORIE DI NEO-CHITARRISTI

Ciao, mi chiamo Dario, vivo in un piccolo paese chiamato Fondi in provincia di Latina, ho 29 anni e sono infermiere ormai da 6.

Ho sempre amato la musica, in ogni sua sfaccettatura. A 18 anni presi lezioni di canto, perché è sempre stata una delle mie più grandi passioni, ma per vari motivi dopo un anno ho lasciato ed, erroneamente, ho preso le distanze da questo splendido mondo.

Dopo 11 anni, in un momento dove ***il lavoro non andava (quando si lavorava), vari problemi famigliari ed una situazione sentimentale non molto bella****, insomma in un quadro generale non dei più belli, mi riavvicinai al magico mondo della musica. Avevo molto tempo a disposizione, e quasi tutto lo passavo da solo, ascoltando le canzoni e cantando, ma* ***avevo bisogno di qualcosa che mi facesse compagnia in quei momenti di solitudine.***

Un giorno rovistando nello sgabuzzino trovai una vecchia chitarra classica di mio fratello (di quelle dal suono pessimo dal costo di 50 euro), provai ad accordarla e suonare qualcosa che avevo imparato nell'esperienza del gruppo rock molti anni prima. Inutile dire che il risultato fu pessimo!

Però quello stesso giorno iniziai a vedere qualche tutorial su YouTube, e così vidi i video di "Chitarra Facile". La verità è che non ero molto sicuro che potesse funzionare. Sai, ci sono molti corsi che propongono lezioni gratuite dove non spiegano nulla o quasi al fine di far acquistare qualcosa che non ti porta da nessuna parte. Ma alla fine decisi di provare, naturalmente acquistai anche una buona chitarra acustica.

***La cosa che più mi colpì oltre ai risultati finali delle prime lezioni, fu la sincerità con cui David spiegava le difficoltà e i modi per superarle o aggirarle, non illudendo nessuno, mettendolo davanti alla realtà dei fatti;** facendomi, così, rimanere con i piedi a terra ma allo stesso tempo trascinandomi con la passione ed entusiasmo di un bambino, quel bambino che molti ormai hanno dimenticato di* *avere dentro, e che io stesso avevo seppellito sotto montagne di "pippe mentali"!*

Inizialmente le mie difficoltà sono state soprattutto la precisione e la velocità nel cambio degli accordi, mentre con la ritmica me la sono sempre cavata abbastanza bene, anche se non sono molto preciso ed a volte ho la mano troppo pesante.

Dopo un mese *del corso di "Chitarra Facile", associati al libro di "Chitarra in 30 Giorni" e "Cambio Accordi Intensive Training", ho iniziato a vedere dei* **risultati da me inaspettati** *in così poco tempo. Sono molto più preciso negli accordi e* **riesco ad essere abbastanza veloce da eseguire molte canzoni che mi piacciono** *senza molti problemi.*

Devo ancora limare bene queste difficoltà per poter affermare di averle superate al meglio ma questo è da attribuire molto di più al poco tempo che ultimamente impiego nell'allenarmi, passando da una bell'ora al giorno iniziale a circa 15 minuti.

Se ora non ho più molto tempo da dedicare alla chitarra, è anche grazie a lei, **mi ha fatto compagnia quando ne avevo bisogno,**

aiutandomi a cambiare alcuni miei modi di pensare e riaprendomi le porte di un mondo che stupidamente avevo chiuso fuori… il Mio!

Naturalmente i problemi non sono spariti, alcuni rimangono (come il lavoro) ed anzi, se ne creano sempre di nuovi, ma poco importa con il tempo e impegno si riesce in tutto. Poi ora ho quel poco che conta per essere felice e cioè le mie passioni e quel "io" che per troppo tempo avevo "sepolto" per una causa che non mi apparteneva più.

Ora faccio parte di un bel progetto amatoriale di musical, ho ripreso le mie lezioni di canto, ho ricominciato a fare sport a livelli agonistici ed ho iniziato un nuovo "progetto" nel mio campo lavorativo, che comporta tanto studio per corsi di specializzazione e un'altra "mini" laurea.

Attribuire tutto questo mio cambiamento ai corsi di "Chitarra Facile" sarebbe un errore da parte mia e una falsità, ma sicuramente mi ha aiutato molto. I video di David e la mia piccola esperienza da chitarrista mi hanno aiutato a capire che, se veramente lo vogliamo possiamo raggiungere qualsiasi obbiettivo!

Ma, questa esperienza, mi ha soprattutto aiutato a rallentare, a mettere pausa in una vita che diventa sempre più frenetica rendendoci tutti dei "cloni" abitudinari, a volte tristi e infelici perché non hanno tempo di guardarsi dentro e capire cosa veramente stanno facendo e se veramente vogliono che tutto vada così.

Scusatemi se mi sono dilungato troppo nel raccontarmi, spero di non avervi annoiato. Grazie infinite a David ed al suo splendido corso di "Chitarra Facile", ai libri "Chitarra in 30 Giorni" e "Cambio Accordi Intensive Training".

Buona giornata

Dario

LA FORMULA CHE RISOLVE TUTTI I MALI

"La routine non riguarda affatto la ripetizione. Per raggiungere l'eccellenza in qualsiasi attività nella vita, è necessario ripetersi ed esercitarsi. Esercitarsi e ripetere: apprendere i segreti della tecnica in modo tale che l'azione diventi intuitiva."

Paulo Coelho

"La ripetizione è da sempre la fonte della certezza"

Vittorino Andreoli

In questo capitolo scoprirai la soluzione al 90% dei mali! Scoprirai la formula segreta per risolvere qualsiasi problema tu abbia con un qualsiasi esercizio, con una qualsiasi tecnica o con un qualunque brano tu non riesca ad eseguire.

Vuoi sapere qual è questa formula? È molto semplice. E te la scrivo qui di seguito:

"*Isola e Ripeti.*"

Questa semplicissima formula potrebbe sembrarti una banalità, ma nella maggior parte dei casi, quando le persone mi chiedono aiuto su qualcosa che proprio non riescono a fare, la soluzione più adatta è sempre questa: isola il passaggio che non riesci a fare e ripetilo 1000 volte, oppure ripetilo fino a che non ti risulterà automatico farlo!

Facciamo un esempio. Immaginiamo che tu sia alle prime armi e stia cercando di imparare un brano con gli accordi. Nel brano è presente un passaggio da FA a DO ed oltre ad esserci la difficoltà del FA, c'è la difficoltà nel passare da un accordo con il barrè ad un accordo senza il barrè.

Prima di tutto quello che devi fare è "isolare". Isolare vuol dire che non devi allenarti su tutto il brano, o su tutto il ritornello, o dove si presenta quella difficoltà. Vuol dire che devi allenarti esclusivamente sul passaggio che non ti riesce. Quindi devi suonare solo FA e DO. Solo quei due accordi. In continuazione. Fino a che non risolvi il problema.

In questo modo risparmierai un sacco di tempo, perché le tue abilità cresceranno molto più velocemente senza perdere tempo a continuare a fare gli altri passaggi di accordo che ti stanno già riuscendo e che quindi non avresti nessun motivo di ripetere.

Il secondo aspetto fondamentale è la "ripetizione".

La ripetizione è importantissima e devi ripetere in modo maniacale fino a che il passaggio non ti riesce in modo accettabile, o con la qualità a cui aspiri.

Io dico sempre... "Nel dubbio, se non ti riesce qualcosa, ripetila 1000 volte. Vedrai che alla fine ci riuscirai".

Ovviamente questo lo fai nel momento in cui non hai a disposizione qualcuno che ti possa dare dei consigli più sensati. A volte anche un maestro potrà dirti esattamente così. Io cerco di dare dei consigli molto più specifici per il problema in questione. Dipende dai casi, ma nel dubbio, se nessuno ti dice niente… isola e fai 1000 volte quel passaggio.

E se stiamo parlando di un assolo? È la stessa identica cosa. Se c'è solo un pezzo che non ti riesce di tutto l'assolo, non perdere tempo facendo tutto l'assolo da capo, ma isola il pezzo che proprio non ti riesce e fai solo quello e ripetilo per tante volte. Solitamente succede proprio così, perché in molti casi un assolo ha dei punti complicati ed altri meno. È una mossa più intelligente quella di isolare il pezzo che non ti riesce e ripeterlo fino a che non riesci a risolverlo.

Ho visto un video impressionante su YouTube: c'è un ragazzo che si mette in testa di fare un salto impegnativo giù per una gradinata con lo skateboard. Non si tratta di un professionista di quelli che hanno una tecnica così fenomenale da poter fare un paio di prove e via… è un ragazzo a cui piace lo skateboard e che ha un obiettivo in testa. Saltare quella gradinata.

C'è un altro ragazzo che lo registra con il cellulare per ben 2 anni, mentre prova ogni settimana a fare quel salto. Ovviamente se sbagli con la chitarra, mal che vada ti esce un suono poco gradevole. Se sbagli a fare un salto di quel tipo con lo skateboard non è solo brutto da vedere, ma ti fai anche molto male.

Il video mostra una marea di tentativi. Si vede il ragazzo che prende lo skate, lo mette giù, prende la rincorsa arriva al punto del salto e... si ferma. Poi torna indietro, rincorsa, salto e... cade sull'asfalto (vestito in maglietta e jeans). Torna indietro, rincorsa, salto e... cade di nuovo sull'asfalto.

E avanti così per decine e decine di volte. In alcuni momenti lo vedi che si scoraggia molto, sembra quasi voglia mollare per il dolore e lo stress mentale di non riuscire ancora a fare quel maledetto salto, ma poi allontana i pensieri negativi e torna sulla scalinata di corsa.

Alla fine del video si vede il ragazzo che riesce a fare il salto correttamente. Preso dall'emozione e dalla liberazione prende lo skate e lo lancia in aria. Fantastico!

Trovi il video su YouTube con il titolo: "*Laser Flip Triple Set BATTLE - Christian Flores*"

Questo video è un ottimo esempio. Il ragazzo poteva chiedere a quelli più bravi di lui qualche trucchetto, com'era la tecnica corretta, ecc... Magari l'ha anche fatto, ma poi alla fine, raccolte le informazioni ha preso lo skate e via di ripetizioni. L'unico modo per aumentare le proprie abilità di successo in qualcosa è... ripetere!

Nel dubbio, fai 1000 volte quella cosa che non ti riesce! Scommettiamo che poi alla fine ce la fai?

STORIE DI NEO-CHITARRISTI

Ciao, sono Giuseppe, ho 28 anni e vivo a Urdorf, vicino Zurigo. Faccio l'autista.

In realtà ho provato molte volte a suonare la chitarra in passato, ma non c'ho messo mai né la testa né il cuore.

Ho scoperto Chitarra Facile per caso su YouTube cercando dei tutorial. Da subito mi ha colpito il modo con cui David spiega cioè chiaro, semplice e soprattutto completo. Nel senso che non tralascia aspetti normalmente considerati "scontati" che per un principiante non lo sono affatto.

All'inizio è stata abbastanza dura, più che altro perché non era la prima volta che ci provavo, quindi sono partito abbastanza a "rilento". Ovviamente all'inizio tutto è nuovo e ci si sente abbastanza impediti però grazie anche al corso "Chitarra in 30 Giorni" mi sono abbastanza sbloccato.

Per il momento il risultato più importante che ho raggiunto è stato quello di ***entrare nella***

mentalità che con la chitarra se vuoi puoi. *È solo questione di tempo ed impegno.*
Ovviamente **ora da passatempo è diventata una passione, e come tutte le passioni ti cambiano la vita. La chitarra diventa parte di te e ti da tante soddisfazioni che solo chi condivide questa passione può capire!**

Giuseppe

STEVE JOBS E STEVE VAI... COS'HANNO IN COMUNE?

"I limiti sono spesso soltanto delle illusioni"

Michael Jordan

Se c'è un'attitudine mentale che ogni chitarrista alle prime armi dovrebbe "copiare" da Steve Jobs, personaggio che non ha nulla a che fare con la chitarra, è la capacità di spingere la propria mente oltre i limiti del "possibile".

Il tanto citato Steve, non era una delle persone più amorevoli in azienda, anzi, tutto il contrario. I suoi modi non erano sicuramente un esempio da prendere in considerazione sulla gestione del personale.

Però bisogna ammettere che solo lui alla Apple è riuscito a spingere i propri dipendenti a produrre qualcosa che fosse assolutamente impensabile e del tutto innovativo nel momento dell'uscita.

Non tutti i prodotti furono delle "invenzioni" della Apple, ma loro riuscivano a fare quella stessa cosa... mille volte meglio rispetto alla prima versione delle altre aziende.

L'iPod ha stravolto il mercato della musica e dei "lettori mp3". L'iPhone ha sconvolto il mercato della telefonia. L'iPad ha reso il tablet un prodotto che tutti volevano avere (la prima versione di tablet della Microsoft non era minimamente paragonabile a quella presentata con l'iPad, infatti le vendite erano del tutto differenti).

Ma ogni volta che Steve Jobs esponeva al suo team come doveva essere un certo prodotto, la prima reazione di chi lo ascoltava era sempre una: "Ma Steve! Questo è totalmente impossibile!". E poi alla fine il prodotto risultava essere proprio come affermava inizialmente Jobs.

Non è facile, ma ogni tanto bisogna pensare di poter andare oltre ai limiti che abbiamo nella nostra testa. Quando ci troviamo di fronte a sfide che per noi sono quasi impossibili... ci autolimitiamo.

Dovremmo riuscire a pensare più in là, dovremmo riuscire a spingere quei limiti più avanti.

Steve Vai, un noto chitarrista molto virtuoso (fatalità si chiama Steve anche lui...) è riuscito a seguire questo pensiero fin da ragazzo.

Infatti, quando ascoltò e si innamorò della musica di Frank Zappa, decise che un giorno avrebbe suonato la chitarra al suo fianco. Al momento non sapeva fare neanche una nota, ma disse ai suoi amici: "Io un giorno suonerò con Frank Zappa!". Ovviamente la reazione degli altri ragazzini la puoi immaginare: risate, battute e prese in giro varie.

Eppure, alla fine fu proprio quello il suo trampolino di lancio nel mondo della musica. Riuscì a suonare con Zappa e grazie alla sua favolosa tecnica venne notato da tutto il mondo e soprannominato dallo stesso Frank Zappa "*Stunt Guitarist*" (chitarrista acrobatico).

Oggi Steve Vai è uno dei chitarristi più famosi al mondo grazie alla sua tecnica, al suo carisma ed alla sua "originalità" nel comporre brani.

Ecco, quando approcci ad un brano o ad un esercizio difficile e pensi che si tratti di qualcosa di troppo difficile e complicato per te, pensa a cosa mancherebbe al mondo oggi se i due Steve di cui abbiamo parlato si fossero dati gli stessi limiti.

Ci vuole a volte un po' di incoscienza ed un po' di pazzia... senza esagerare però. Cerca ovviamente di spingerti sempre un po' oltre al limite, ma mai troppo. Se hai iniziato a suonare ieri e ti metti in testa di suonare come Steve Vai entro domani, beh... quello non è spingersi oltre il limite, quello è non avere nessun contatto con la realtà!

Quindi adesso voglio chiederti una cosa che vorrei che facessi entro 24 ore da adesso.

Ci stai?

Ok, proviamoci. Quello che ti chiedo è di tentare, solo per una volta, a spingerti oltre il limite e provare ad eseguire un brano che va un po' oltre le tue capacità. Non importa se alla fine riesci a farlo. Comunque vada, se ci hai provato con tutte le tue forze, se avrai messo il giusto impegno e la giusta tenacia per provarci… mal che vada, il tuo livello da chitarrista si sarà alzato in modo considerevole!

Ne vale la pena, fidati!

Ovviamente per raggiungere l'obiettivo ti ricordo che abbiamo visto, un po' di capitoli fa, come fare per imparare brani o esercizi al di sopra delle tue capacità.

STORIE DI NEO-CHITARRISTI

Ciao, mi chiamo Vittorio, ho 57 anni, vivo in provincia di Vicenza e ho una piccola attività commerciale.

Ho sempre desiderato imparare a suonare uno strumento e se la domanda è "perché la chitarra?" la mia risposta è… perché la batteria è più rumorosa in condominio.

Per quanto riguarda Chitarra Facile, l'ho scoperto navigando tra vari siti che trattano l'argomento e mi ha colpito per il modo che ha di spiegare i vari argomenti.

Le mie difficoltà sono quelle tipiche di chi non ha ***mai preso in mano uno strumento****, ma devo dire che pensavo peggio e ora, anche grazie ai consigli di David,* ***mi sto divertendo moltissimo****, fermo restando che non ho velleità concertistiche e, per la maggior parte del tempo suonerò per me stesso e per puro passatempo.*

Al momento, dato che ho iniziato da poco, sono già contento di riuscire a fare gli accordi principali con abbastanza velocità, anche se manca ancora molto, ma ne sono consapevole.

Vittorio

PARTE 4:

DIVENTA UN CHITARRISTA SAGGIO

Disintossicarsi dalla distorsione

"Una persona non diventa Eric Clapton solo perché ha una Les Paul, non funziona così."

Roger Waters

Non so che genere ti piacerebbe suonare e se mai imbraccerai una chitarra elettrica, ma da quello che posso notare sentendo le persone che mi seguono, molti finiscono per avere a che fare, prima o poi, con una chitarra elettrica distorta per suonare un po' di rock.

Ovviamente questo non è un libro tecnico, quindi non ti spiegherò cos'è la distorsione e come si ottiene, tanto prima o poi lo scoprirai, magari girando sul canale di YouTube di Chitarra Facile e quindi aver letto questo capitolo ti sarà di grande aiuto. Se non sconosci cosa sia la distorsione ed hai sempre suonato una chitarra classica o acustica va benissimo, continua a leggere perché questo capitolo ti servirà come "prevenzione". Ti aiuterà a risparmiare notti insonni alla ricerca del suono di una migliore distorsione in futuro!

Se invece già suoni la chitarra elettrica fai molta attenzione e cerca di tenere la mente aperta, perché ti dirò delle cose che probabilmente non ti piaceranno. Io non ti chiedo di darmi fiducia, voglio solo che provi ad aprire la mente e ad applicare almeno uno dei consigli che troverai qui. Poi se il risultato non ti soddisferà allora puoi continuare per la tua strada.

Il problema dell'effetto della distorsione è che nel 95% dei casi, i chitarristi con il passare del tempo la aumentano sempre di più. Provano la distorsione, sentono che il suono è più potente, la chitarra diventa più sensibile, riescono a fare cose che prima non riuscivano a fare e molti errori vengono nascosti da questo magico effetto. Il suono è più uniforme. Questa distorsione piace. Piace eccome, perché appiattisce le differenze tra noi ed il nostro Guitar Hero preferito (si, peccato che lui utilizza la metà della distorsione).

Poi ad un certo punto alziamo leggermente il "Drive" o il "Gain" di questa distorsione e... puff... la nostra band suona e copre completamente la chitarra che non si sente più. Alziamo il volume! Ancora un po'... no aspetta! Adesso si sente un fischio e c'è un brusio assordante che esce dall'amplificatore. Alziamo un po' i medi. Ok, così si sente un po' di più.

Si, ma chi è fuori non sta capendo una mazza di quello che stiamo suonando. Il livello della distorsione ha impastato il suono della chitarra e non si riconoscono più così bene le note. Il pubblico è scontento e dice di non sentire la chitarra. Ma la chitarra è già fin troppo alta. Quindi... la prima cosa che ci viene in mente è... dobbiamo avere più potenza!

Vai di testata e cassa da 100 watt. Per suonare in un locale? Eh no, grande errore. Il volume è ad un quarto e la testata non riesce a lavorare bene il suono che risulta ancora peggiore di prima. Ci vuole forse più distorsione??

Ok, basta. Hai capito che qui la storia finirebbe male sia per il chitarrista che per il pubblico. Aumentare la distorsione ti da' l'impressione di avere un suono più pieno, più avvolgente ed allo stesso tempo ti sembra più facile suonare perché nasconde gli errori. Il problema è che la distorsione nasconde anche le note e la dinamica. Inoltre, se ti abitui a suonare con la distorsione, peggiori sempre di più come chitarrista. Perché ti abitui a suonare con una chitarra che ti perdona tutto. Poi provi a fare un assolo senza la distorsione e... aiuto! Non so più suonare!

Attenzione, io non sono qui per fare il guru del suono che non ha mai sbagliato. Anzi, tutti i consigli che ti sto dando in questo libro arrivano da anni di sbagli, uno dietro l'altro, ed anche in questo caso ti parlo per esperienza personale (e per esperienza di amici ed allievi). Ho passato anni ad esagerare anche io con la distorsione e non volevo rendermene conto. Poi finalmente ho capito ed ho cominciato a diminuirla gradualmente abituandomi così in modo progressivo ad un suono più naturale.

Questo mi ha portato anche a migliorare molto sul suono e sulla pulizia di esecuzione. Sono diventato più preciso e più espressivo. Più di prima almeno. Ti ricordo che non sono un chitarrista professionista.

Purtroppo, quella della distorsione è un'illusione. Credi che il tuo suono sia più pomposo ed aggressivo, quando invece quella che esce dal tuo amplificatore è solo una gran confusione piatta ed inespressiva.

Devi sapere che se veramente vuoi avere un suono più chiaro e potente per fare rock... devi abbassare il gain della tua distorsione. È un po' innaturale pensarla così, ma meno distorsione hai, più si sentiranno le note che fai, più potrai giocare di dinamica, più potrai modificare il tuo suono con una plettrata fatta in un certo modo e meno avrai bisogno di volume sul tuo amplificatore.

La distorsione inoltre appiattisce qualsiasi tua qualità tecnica. Con una distorsione importante c'è poca differenza tra un chitarrista ed un altro. Non la puoi sentire bene, perché oggettivamente la distorsione appiattisce parte della sinusoide del suono della chitarra, quindi anche il chitarrista che riesce a modulare il suono in un certo modo non troverà più quelle qualità che lo differenziano da qualcun altro. Si, ovvio, magari avrà altre qualità come la velocità, i lick difficili, ecc... Ma tutto ciò che riguarda suono, dinamica ed espressività vengono molto ridotti.

Voglio darti qualche consiglio per riuscire a disintossicarti un po' dalla distorsione. Non devi eliminarla, dovrai solo diminuirla (più possibile).

Per prima cosa, quando studi delle canzoni che prevedono la distorsione, provale sempre ad amplificatore spento, con la chitarra elettrica scollegata. Se riesci a suonare bene con la chitarra spenta vedrai che poi quando la attaccherai all'amplificatore, di distorsione te ne servirà ben poca.

Secondo, abbassa il gain o drive della distorsione e prova a giocare di più con una plettrata decisa per ottenere un bel suono distorto. Compensa il gain minore con una plettrata sicura ed un bel tocco con la mano sinistra.

Terzo, ascolta molto attentamente i tuoi chitarristi preferiti, anche se suonano metal scoprirai che utilizzano molta meno distorsione di quella che potresti immaginare. James Hetfield dei Metallica utilizza pochissima distorsione, addirittura, pur suonando Metal, per un po' di tempo ha utilizzato un overdrive al posto del distorsore, il famosissimo Ibanez Tube Screamer, tanto noto nel panorama blues (in poche parole, se non sai cosa sia l'overdrive, si tratta di una distorsione molto più leggera che ricrea il suono della distorsione originale, quella che veniva creata alzando semplicemente a palla il volume dell'amplificatore). Capisci? James Hetfield utilizzava un effetto che veniva dal blues! E quelli che lo imitano si comprano il Metal Zone, una distorsione super satura.

Vai a vedere le strumentazioni dei tuoi chitarristi preferiti. Nel blog di SuonareChitarra.com (il blog di Chitarra Facile) trovi una sezione dedicata proprio a questo. Puoi cercare lì, oppure puoi digitare su Google il nome del chitarrista seguito dalla parola "rig". Se conosci un po' di inglese ti divertirai a scoprire le strumentazioni di molti chitarristi famosi.

Quarto, diminuisci progressivamente la saturazione della distorsione. Cerca di ingannare la tua Mente da Chitarrista. Se abbassi di pochissimo la tua distorsione ogni volta che suoni, senza neanche accorgertene dopo un po' di tempo starai suonando molto meglio tecnicamente e con un suono molto più interessante ed espressivo!

Obbligherai così le tue mani a compensare un poco alla volta la mancanza di “appiattimento” e l’aumentare dei tuoi errori udibili. Diventerai così un chitarrista migliore.

Io spesso vado a sentire gruppi che suonano dal vivo nei locali. Mi piace sostenere le band locali che veramente meritano, oltre a passare una bella serata a vedere musica dal vivo. Il problema è che, spesso, mi capita di passare una brutta serata per via del chitarrista che utilizza una distorsione assolutamente inappropriata per il genere che sta suonando. Ad esempio mi è capitato di andare a sentire una tribute band dei Bon Jovi, per cui si tratta di Rock, neanche Metal, ma il chitarrista aveva un livello di distorsione che difficilmente trovi anche nei generi più estremi del metal.

Era abbastanza ridicolo ed inoltre non si capiva niente di quello che stava suonando.

Il tuo obiettivo come chitarrista Rock o Metal deve sempre essere quello di abbassare il livello della distorsione, e ricreare sempre un suono aggressivo ed energico. Più ti concentri su questo, meglio suoneranno le canzoni che farai. Più successo avrai.

STORIE DI NEO-CHITARRISTI

Ciao, sono Massimo ed anche io condivido le idee di David sulla musica. Soprattutto il fatto che sia un modo per esplodere e mostrare tutto quello che hai dentro di te.

Ricordo ancora la prima volta in concerto in un teatro gremito (festa carnevale per le scuole) di oltre 1000 persone: un'emozione incredibile, sentire la gente urlare e gioire per noi che eravamo sul palco non aveva paragone con nessun'altra cosa in quel momento. Era gioia allo stato puro.

Non so quanti anni ha David, io ne ho 61 e il primo disco che ho sentito (di musica rock) è stato "I'm a Man" di Jimi Hendrix (deve essere stato una raccolta di live perché, anche cercandolo, non sono più riuscito a trovarlo) e questo mi ha indirizzato verso un certo tipo di musica.

Ai miei tempi si doveva suonare alle varie feste politiche per riuscire a comprare gli strumenti (usati). Certamente ora ci sono chitarristi più bravi e preparati di quel tempo ma dubito che trasmettano le stesse sensazioni di loro.

Oltre al grande Jimi (che penso abbia trasmesso la passione per la chitarra a moltissime persone) i miei chitarristi preferiti sono David Gilmour, Eric Clapton, Santana, Robert Fripp, John Mc. Laughlin e Jimmy Page, ma secondo me non si può fare una classifica dei migliori perché si tratta di una cosa assolutamente personale.

Con questo non dico che non ascolto mai la musica di oggi, ma diciamo che sono molto legato alla musica che mi ha regalato momenti meravigliosi e che ha dato a molte persone la forza e la voglia di lottare.

Buona giornata e un abbraccio,

Massimo

Come passare al tuo livello successivo

"Non sempre cambiare equivale a migliorare, ma per migliorare bisogna cambiare."

Sir Winston Churchill

"Lascio agli altri la convinzione di essere i migliori, per me tengo la certezza che nella vita si può sempre migliorare."

Marilyn Monroe

Immaginiamo che tu abbia già passato una prima fase iniziale da chitarrista nella quale hai imparato a suonare bene diverse canzoni, quindi non sei più nella fase in cui devi riuscire a "fare" delle cose, ma sei nella fase in cui ti piacerebbe fare quelle stesse cose, ma... meglio!

Bene, in questa fase solitamente il chitarrista medio è convinto di essere bravo e difficilmente accetta delle critiche, sia dagli altri che da sé stesso. È normale ed è giusto che sia così. Superare la prima fase ha portato un incremento della sua autostima e della sua motivazione. Ha imparato cose che la maggior parte della gente ignora totalmente. È giusto che si goda per un po' di tempo i risultati raggiunti.

L'importante però è uscire da questa fase e cominciare a voler fare il passo successivo. Tieni presente che se anche Paul Gilbert, John Petrucci, Steve Morse e molti altri continuano a cercare di migliorare, non vedo per quale motivo noi dovremmo ritenerci dei grandi chitarristi che non hanno bisogno di imparare più niente. Ma di questo parleremo in un prossimo capitolo.

Fatta questa premessa. Esiste un modo molto semplice ed alla portata di tutti per migliorarsi. Forse hai già fatto una cosa simile per divertirti, ma non nella maniera giusta, non nel modo che ti spiegherò in questo capitolo. Solo seguendo l'atteggiamento giusto che ti mostrerò in queste pagine riuscirai veramente a capire dove sono i punti in cui dovresti migliorare o comunque porre la tua attenzione.

Il grande segreto per capire come fare il passo successivo è... Registrarsi ed ascoltarsi!

Come ho detto prima si tratta di qualcosa di abbastanza banale e semplice, ma in realtà per farlo dovrai seguire alcune regole che quasi tutti i chitarristi ignorano.

La cosa più difficile da fare quando si esegue questo tipo di esercizio di auto-ascolto è quello di essere il più obiettivi possibili. Cerca di ascoltare quella registrazione come se a suonare fosse il chitarrista più odioso che conosci e che vorresti in tutti i modi screditare.

Quindi prima di tutto hai bisogno di mettere la tua Mente da Chitarrista nella giusta condizione per ascoltare quella registrazione in modo da essere il più obiettivo e critico possibile.

Registrati sia mentre suoni una parte ritmica di accompagnamento, e nel caso tu lo sappia già fare, fai anche un'improvvisazione su una base (nel caso tu non sappia improvvisare e creare melodie, puoi imparare molto facilmente su www.improvvisazionefacile.com).

Qualche nota tecnica. Per registrare puoi utilizzare Audacity, puoi cercarlo su Google, è un software gratuito che ti permette di registrare anche in multitraccia (puoi registrare un pezzo e poi sovrainciderci qualcosa sopra). Per questo è perfetto anche per registrare la tua improvvisazione che avrà una base e poi sopra il tuo assolo o melodia. Puoi trovare diverse basi musicali su YouTube cercando "guitar backing track". In alcuni casi, in descrizione forniscono il link per scaricare l'mp3 originale. Ovviamente Audacity non è un software professionale di registrazione, ma è gratuito e molto semplice da utilizzare, perfetto per questo tipo di utilizzo che stiamo vedendo ora.

Per aumentare l'efficacia di questo esercizio dovrai sottostare ad una regola molto importante. Tutte le registrazioni che farai dovranno essere "buona la prima". Non esiste che se ti viene male qualcosa, lo rifai durante questo esercizio. Qui dovrai accettare la prima registrazione come buona.

Lo so che è molto difficile, sia fare qualcosa di buono alla prima registrazione, sia accettare una registrazione con errori. Viene automatico voler rifare tutto! Però è proprio questo l'esercizio. Tieni presente che quando suoni dal vivo non puoi dire: "Scusate, questa la rifaccio!".

Curiosità: *uno degli assoli di chitarra più amati su una canzone "pop" è quello di "Beat It" di Michael Jackson dove fu proprio il grande Eddie Van Halen a registrarlo. Pensa che l'assolo che puoi ascoltare nella versione originale del brano è un "buona la prima". Van Halen aveva registrato diversi take di quell'assolo, ma il produttore ha scelto comunque la prima versione, dove Van Halen stava ancora prendendo confidenza con la musica e si è messo ad improvvisare. Incredibile se pensiamo quanto sia difficile eseguire quell'assolo.*

Cerca comunque di stare il più rilassato possibile mentre registri. Cerca di dimenticarti che stai registrando, perché altrimenti la tua mente da chitarrista perde facilmente l'attenzione sull'esecuzione per focalizzarsi sulla registrazione.

È importante, per questo esercizio, utilizzare meno distorsione possibile (nel caso volessi improvvisare o fare delle ritmiche con distorsione), perché così è più facile scovare gli errori.

Detto questo sulla fase di registrazione passiamo alla fase di ascolto. Come ho già detto cerca di essere la persona più critica di questo mondo quando si parla del tuo modo di suonare (non esagerare però eh!). Quindi, parti con questo atteggiamento mentale.

A questo punto, ascolta il tutto una prima volta e prendi appunti sulle cose da migliorare che noti.

Dalla seconda volta che ascolti in poi dovrai focalizzarti solo su un aspetto. Per esempio puoi concentrarti solo sul tempo. Stai andando perfettamente a tempo? In alcuni casi hai rallentato? Hai accelerato? Ti viene da "muovere il piedino" quando ti riascolti?

Quando parlo di "muovere il piedino" intendo quella sensazione che si ha, per esempio, quando la ritmica di un brano è fatta talmente tanto bene che non riesci a fare a meno di tenere il tempo. Anche negli assoli di chitarra dovrebbe esserci una specie di sensazione del genere, non solo nelle sessioni ritmiche. Se ascolti i chitarristi famosi, chi più e chi meno, ti faranno sentire il ritmo della canzone o dell'assolo nelle vene. Gli assoli di Nuno Bettencourt (chitarrista degli Extreme), per esempio, hanno più ritmo di quelli della batteria che senti sotto.

Dopo aver ascoltato tutta la registrazione concentrandoti solo sul ritmo, e dopo aver segnato tutti i punti e le cose che intendi migliorare, riascolta tutto focalizzandoti su un altro aspetto, come per esempio il "tocco" o il suono che esce dalle tue dita. Ancora meglio... quella che io chiamo la "pulizia del suono".

Quanto è pulita la tua esecuzione? In alcuni casi potresti fare tutte le note giuste, ma magari qualcuna di queste note viene "sporcata" e quindi suonata leggermente male. Ecco, fai attenzione a quante note sporchi e quanto potresti migliorare la tua esecuzione.

Ovviamente, in alcuni casi ci sono chitarristi famosi che sporcano apposta le proprie esecuzioni. Uno dei maestri sotto questo punto di vista è John Frusciante, ex chitarrista dei Red Hot Chili Peppers. Chitarrista con un'ottima tecnica, ma che quando esegue un assolo, generalmente lo "sporca" volontariamente per dare quel senso di rock grezzo alla Jimi Hendrix che comunque, fatto in un certo modo può piacere (a me piace molto per esempio).

Ecco, ovviamente ogni chitarrista, prima di voler sporcare volontariamente le proprie esecuzioni, dovrebbe essere comunque capace di suonare pulito.

Un'altra cosa su cui è molto importante focalizzarsi mentre riascolti la registrazione sono i bending. Fai molta attenzione a questo, perché l'esecuzione di un bending fatta male può distruggere completamente un intero assolo fatto bene.

Il bending deve avere la giusta intonazione e la giusta velocità. Ovviamente non c'è una intonazione o una velocità univoca che va bene per tutti i bending. Ce ne sono alcuni che devono essere appositamente calanti, altri che devono essere appositamente crescenti e altri ancora che devono essere molto lenti al contrario di specifici bending che devono essere molto veloci. L'importante è che stiano bene all'interno del contesto. Per esempio, un bending all'interno di un brano rock sarà molto diverso da quello che trovi all'interno di un brano blues.

Lo stesso discorso vale per il vibrato. Il vibrato ed il bending hanno infinite sfaccettature. Impossibile che 2 chitarristi diversi eseguano bending o vibrati allo stesso modo. Si possono avvicinare molto, ma non possono eguagliarsi.

Anche il vibrato ha una esecuzione tecnica completamente diversa a seconda del genere musicale che stai suonando ed a seconda di quello che vuoi esprimere. Ed allo stesso modo del bending, anche un vibrato sbagliato e fuori luogo può rovinare totalmente un assolo.

In generale, ti consiglio anche di riascoltare un ulteriore volta la tua esecuzione per focalizzarti sull'espressività. Il tuo assolo rispecchia veramente quello che volevi esprimere? Ti sembra che ci sia poca espressività? Come potresti migliorare l'espressività?

Infine, se hai registrato un brano già esistente, fai il confronto con il brano originale. È ovvio che l'originale sarà migliore, ma cerca di capire dove puoi migliorare per avvicinarti ancora di più all'originale.

Tutto questo tipo di lavoro come vedi funziona se ti focalizzi su un aspetto preciso ogni volta. Questo è un po' quello che facciamo all'interno di Guitar Sniper (www.guitarsniper.com). In inglese "Sniper" è il "cecchino". Un unico bersaglio. Bisogna avere una grande capacità di focalizzazione, ma la strategia Guitar Sniper porta ad enormi miglioramenti, grazie al potere della concentrazione su un unico aspetto alla volta.

Ovviamente non facciamo solo la tecnica dell'auto-ascolto. In realtà il programma di Guitar Sniper è incentrato sul focalizzarsi su aspetti precisi per 1 mese intero. Ti invito ad andare all'indirizzo che ho indicato prima per comprendere meglio la filosofia di questa strategia super efficace.

STORIE DI NEO-CHITARRISTI

Ciao,

Mi sono appena letto tutto il manualone di "Chitarra in 30 Giorni" e devo dire che mi ha veramente colpito. Molto semplice ed essenziale, esprime chiaramente i concetti. Alcune cose possono sembrare banalità scontate, ma innanzitutto è sempre bene ripeterle e ripetersele, e comunque se corredate da una chiara spiegazione ti fanno capire ancora meglio la strada da prendere per migliorare. A maggior ragione se questi sono i passi che ha seguito una persona che "si è fatta da sola".

Per quanto mi riguarda, ho acquistato questo corso perché ho ripreso la chitarra dopo almeno 10 anni e purtroppo non è come andare in bicicletta: la teoria la ricordo ancora abbastanza, gli accordi e gli esercizi base, ma ***le dita sono dure!***

Ho ricominciato a Natale, quando sono andato a casa dei miei e un po' per curiosità ho ripreso in mano la chitarra. Non so spiegarti cosa sia successo, ma ***mi è tornata improvvisamente la voglia di ricominciare.***

Ho iniziato un po' per prova utilizzando un software, che devo dire… non è male per esercitarsi. In un mese ho visto che grazie anche alla motivazione che mi ritrovo in questo periodo sono migliorato molto, soprattutto nella velocità del cambio di accordi, che è poi lo scoglio principale di tutti quelli che cominciano.

Non ho ancora fissato un obbiettivo a lungo termine, come suggerisce anche David nel manuale, posso però dirti gli obbiettivi che mi sono fissato nel medio tempo:

- *migliorare (pulizia e velocità dei movimenti in primis)*
- *evolvere (non voglio più pensare alla chitarra solo come strumento di accompagnamento, quindi **iniziare a lavorare molto negli assoli e nell'improvvisazione**).*

***Per "premiarmi" dei risultati raggiunti nel primo mese mi sono regalato una Yamaha ERG121C** per iniziare ad entrare anche nel mondo della chitarra elettrica. Non nascondo che al momento ho qualche difficoltà a causa del manico più stretto e delle mie dita che non sono propriamente sottili, ma basta solo avere pazienza e prenderci la mano. Gli esercizi,* *soprattutto sugli accordi, continuo comunque a farli sulla classica.*

Ho comprato questo corso per avere delle basi che mi aiutassero col primo obbiettivo in vista poi, appena mi sento un po' più sicuro, di lanciarmi sul corso di "Improvvisazione Facile". Voleva anche essere un modo per "mettere alla prova David" andando oltre gli ottimi video che seguo su YouTube, soprattutto quelli #SenzaChitarra che danno **una forte motivazione,** *cosa che forse porta David ad un livello più elevato rispetto alla "concorrenza".*

Devo dire che questa motivazione David riesce a trasmetterla anche dai suoi testi, in cui si capisce come cerca di trasmettere l'esperienza per aiutare gli altri ad evitare errori che porterebbero solo a perdere tempo e probabilmente anche autostima e motivazione.

Che altro dire? che mi metto sotto da subito con gli esercizi, ben presentati e con indicato chiaramente l'obiettivo finale che si prefiggono. A questi alternerò altri esercizi che sto portando avanti in questi giorni per migliorare i miei passaggi tra gli accordi. Una vita col metronomo in tasca insomma!!! :-)

Buona serata ed a presto.

Piergiorgio

COME EVITARE DI DIVENTARE UN CLONE

"Il segreto del successo è fare le cose comuni in un modo insolito"

John D. Rockefeller

"Sii la versione originale di te stesso, non la brutta copia di qualcun altro"

Judy Garland

"Quando c'è un suono originale nel mondo, esso fa centinaia di echi"

John A. Shedd

Spesso ho chiesto sulla pagina Facebook e sul gruppo di Chitarra Facile... "Perché avete iniziato a suonare? Cosa o chi vi ha ispirati?".

Ecco i risultati di un sondaggio veloce che ho fatto sul gruppo di Facebook (questi sono i risultati dopo 1 giorno, ma in questo momento se trovi il sondaggio avrà dei numeri ben diversi):

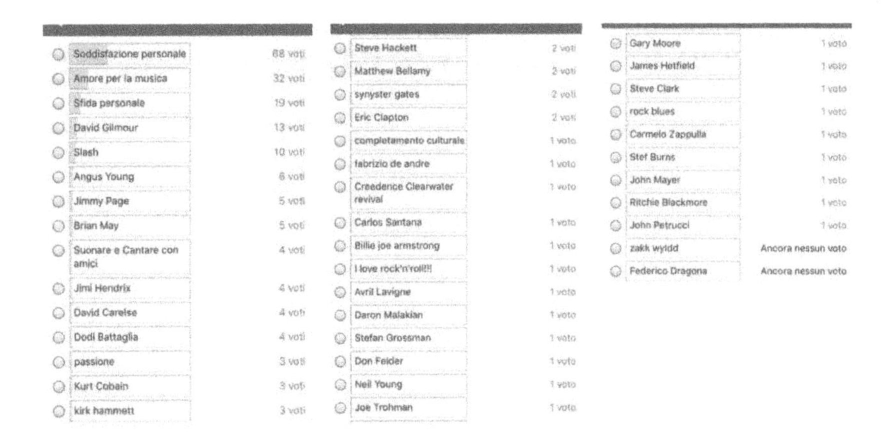

Lasciando perdere i pazzi 4 pazzi che hanno votato “David Carelse”, si può notare come il maggior numero di voti va ai chitarristi. In pratica se ci fosse stata l’opzione “Chitarrista” in generale, quindi persone che hanno iniziato a suonare perché sono state ispirate da un chitarrista in particolare... questa risposta avrebbe avuto la meglio con ben 87 voti, seguita poi da “Soddisfazione Personale”, “Amore per la Musica” (che comunque credo sia comune a tutti) e “Sfida Personale”.

Poi dipende da come vuoi leggere il sondaggio, perché se facciamo il conto totale tra chi ha iniziato per via dell’ispirazione di un chitarrista e chi no... vince il no con 155 voti totali tra tutte le risposte che non prevedono un chitarrista in particolare.

Ma una cosa è certa. La maggior parte delle persone che ha cominciato a suonare la chitarra ha qualche chitarrista di riferimento e ci sono tante persone che hanno iniziato a suonare perché si sono appassionate ad un solo chitarrista in particolare, il cosiddetto *Guitar Hero* preferito.

Ascolti della musica, magari un gruppo dove c'è anche la chitarra che suona, senti il suono di questa, ti piace, continui a concentrarti sulla chitarra, ti innamori degli assoli che ti emozionano e poi non vedi l'ora di provarci anche tu. Cerchi il nome del chitarrista, diventa il tuo idolo, ecc...

Questo potrebbe essere un percorso tipico di una persona che si appassiona alla chitarra grazie ad un chitarrista specifico. E succede di continuo. Ogni giorno c'è sempre qualcuno che sogna di diventare come il proprio Guitar Hero preferito, decidendo così di iniziare a suonare la chitarra.

Questa è sicuramente una cosa positiva, nel senso che questi chitarristi fanno avvicinare le persone al mondo degli strumenti musicali e della musica suonata e riescono a fare abbandonare il mondo di chi la musica la ascolta per passare dalla parte di chi la musica la crea e la fa ascoltare agli altri, cosa che ritengo fantastica. Ciò, in realtà, nasconde un grave rischio per il futuro della Mente del Chitarrista. Ma non ti preoccupare, niente che non si possa risolvere!

Chi ha la fortuna di leggere questo capitolo quando è ancora agli inizi avrà sicuramente la vita molto più facile, ma ripeto... si può rimediare anche negli altri casi (se vorrai).

Il grande rischio che si cela dietro al preferire fortemente un Guitar Hero specifico, è che spesso si rischia di diventare la copia di quel chitarrista. Ok, aspetta, lo so cosa starai pensando adesso: "*Magari riuscissi a diventare bravo come il mio chitarrista preferito!*". No, attenzione, non ho detto che diventi bravo come lui, la bravura te la crei con l'esercizio e con tutto quello che abbiamo visto nei capitoli precedenti. Io sto parlando di "stile". Puoi essere alle prime armi, ma con lo stile di David Gilmour. Puoi essere un esperto, ma con lo stile di Slash. E via dicendo...

Quello che succede è che, dato che ti piacciono le canzoni e lo stile di quel gruppo dove c'è quel chitarrista, finisce che le canzoni che studi siano sempre le sue. Studi le sue ritmiche, i suoi assoli, fino a prendere le forme e le sembianze di quel chitarrista. A volte anche il look ed il modo di muoversi.

Prendiamo per esempio uno dei chitarristi più imitati di sempre: Slash, l'ex chitarrista dei Guns and Roses. Slash ha un modo di suonare tutto suo. Ha una sua impostazione personale che lo porta a suonare specifici lick e fraseggi che a qualcun altro potrebbero sembrare troppo difficili, ma allo stesso tempo, difficilmente riuscirebbe a suonare qualcosa che presenti un'impostazione diversa, per esempio l'impostazione di un David Gilmour (lasciamo perdere la differenza di espressività, sto parlando dell'impostazione delle mani e dei lick più utilizzati da questi 2 chitarristi).

La stessa cosa vale per gli altri. I fanatici di Steve Vai per esempio, quando provano a suonare qualcosa di pop, Jazz o Blues non fanno una grande figura, perché somigliano sempre a Steve Vai, che ha uno stile che non si adatta benissimo ad altri generi musicali.

Ovviamente non sto dicendo che non va bene fissarsi a studiare i brani di un grande chitarrista, anzi fa benissimo per la tua tecnica, sto dicendo che è importante studiare anche altri chitarristi e non solo un paio.

Ogni chitarrista deve crearsi il proprio stile. Questo è molto importante. I grandi chitarristi potresti riconoscerli solo ascoltando 4-5 note di fila. Senza sapere che sono loro che stanno suonando, riusciresti sicuramente a riconoscere entro 4-5 note chi c'è alla chitarra, che sia Brian May (chitarrista dei Queen), Dimebag Darrel (Pantera), Van Halen, Steve Vai, Joe Satriani, Mark Knopfler... Tutti quelli considerati "grandi", o che comunque hanno dei fan, trasmettono la propria personalità attraverso il loro suono ed il loro stile.

C'è un chitarrista vicino a dove abito io, un grande maestro, che secondo me è veramente un grande chitarrista, anche se lo conoscono veramente in pochi. In Veneto sicuramente di più che nel resto d'Italia, ma non mi pare che lui aspiri veramente a diventare un chitarrista famoso. Credo che a lui stia bene così. Gli piace stare per i fatti suoi.

L'unico problema è che quando lo ascolto, a parte avere la mandibola che crolla verso il basso e cercare di assimilare più informazioni possibili, sento un mix tra Nuno Bettencourt e Steve Vai. Sempre. Ha studiato così tanto quei due chitarristi che è difficile che una persona non noti la somiglianza. E questo è molto dannoso per la musica e per chi vuole "creare" musica.

Poi, magari il tuo obiettivo è creare una tribute band e quindi devi assomigliare il più possibile a quel chitarrista. In quel caso effettivamente dovrai assomigliargli per forza. Ma in tutti gli altri casi, essere simili a qualcuno può portare solo all'anonimità e ad un valore minore percepito dal pubblico (perché sarai la copia di quel chitarrista).

Anche io ho avuto un po' questo problema, perché a volte mi appassiono tanto a qualcosa o qualcuno (musicalmente parlando eh!) e mi immergo completamente nella sua musica, cerco di capire come suona, studio le sue canzoni, ecc... La mia fortuna è che mi stanco presto e solitamente dopo un po' di tempo ho già preso di mira qualche altro chitarrista. Infatti spesso mi chiedono quale sia il mio chitarrista preferito. In realtà non lo so. O meglio, potrei dirti qual è il mio chitarrista preferito oggi, ma chi lo sa quale sarà tra un anno o tra un mese?

Involontariamente io faccio una cosa che fa bene alla costruzione del proprio stile (non che io mi senta di avere questo grande stile eh! Mettiamolo in chiaro): studio bene solo un chitarrista alla volta, ma non mi fermo solo ad uno. Prendo un po' da tutti i grandi chitarristi quelle poche cose che mi piacciono e le faccio mie.

Cerca di fare così anche tu! Se è da tanto tempo che stai studiando un chitarrista, prova ad aprire i tuoi orizzonti e focalizzarti su un nuovo chitarrista. Vai in cerca di musica nuova che ti prende come quella che stai studiando adesso. Chiedi aiuto ai tuoi amici o alle persone che credi abbiano i tuoi stessi gusti e fatti consigliare qualcosa. Chiedi aiuto anche nel gruppo di Chitarra Facile se vuoi. Ci sono poi applicazioni e social come YouTube o iTunes che se ascolti o cerchi una canzone che ti piace, ti suggeriscono qualcosa di simile. Ovviamente si tratta di un consiglio fatto da un software, ma io per esempio utilizzando iTunes ho scoperto diversi gruppi nuovi che mi piacciono andando a vedere i "correlati" ad alcuni album che mi piacevano. Lo faccio tutt'ora per scoprire musica nuova.

Un altro consiglio che vorrei darti è quello di non prendere i lick (sequenze di note che puoi utilizzare nei tuoi assoli), fraseggi o il modo di suonare di un chitarrista così com'è. Cerca sempre di adattarlo al tuo stile ed al tuo modo di suonare. Mettici qualcosa di tuo. Una tua idea originale. Oppure metti insieme 2 stili di 2 chitarristi diversi nello stesso fraseggio.

È così che nascono le idee originali! Metti insieme 2 cose da 2 mondi diversi. Addirittura si può fare di più, per esempio Stef Burns (chitarrista californiano di Vasco Rossi) studia come i cantanti giocano con l'espressività delle note, come per esempio con il vibrato, per riprodurre le cose che a lui piacciono... sulla chitarra! Un modo geniale per creare il proprio stile.

E ricordati che non devi piacere a tutti. Chi piace a tutti in realtà non piace a nessuno. Qualsiasi grande chitarrista ha persone che lo amano ed altre che lo odiano. Devi avere una personalità unica così da piacere ad un gruppo di persone che farebbero di tutto per ascoltarti. Se no sei solo uno dei tanti. Un chitarrista clone.

Non aver paura di esprimere i tuoi gusti e la tua personalità!
Ogni persona è stupenda perché è unica e diversa.

STORIE DI NEO-CHITARRISTI

Ciao David, scusa se ti scrivo, ma volevo un attimo ringraziarti.

Ho ricevuto come ultimo regalo, da un mio zio che purtroppo non c'è più, una chitarra acustica una settimana fa. Amo il rock e la musica in generale che siano Pink Floyd o Metallica, ma non so dove mettere le mani sulla chitarra.

Volevo ringraziarti perché è una cosa fantastica quello che fai, sia postare di continuo video in cui ci aiuti, ma anche rispondere e avere un mare di pazienza.

Un po' per onorare la memoria di mio zio ho deciso di mettermi di impegno e fare questa cosa anche per lui che mi ha aperto questo mondo e mi ha iniziato al rock in particolar modo.

Volevo ringraziarti per quello che fai e sono sicuro che con te posso imparare e avere questa soddisfazione personale. Ti ringrazio tantissimo perché mi aiuti a fare una cosa veramente importante per me! Grazie!

(anonimo)

DOPO 10 ANNI ANCORA NON SAI SUONARE

"La vera nobiltà è essere superiore a chi eravamo ieri"

Colin Firth

"Essere umili verso i superiori è un dovere, verso gli eguali è cortesia, verso gli inferiori è nobiltà, verso tutti è la salvezza."

Bruce Lee

Non bisogna mai dare nulla per scontato. Anche se hai studiato per 10 anni chitarra, anche se hai suonato con personaggi famosi, anche se sei soddisfatto/a del modo in cui suoni... non devi mai dare nulla per scontato.

Se qualcuno ti si avvicina e ti cerca di dare un consiglio, ascoltalo. Cerca di capire se effettivamente puoi migliorare con quel consiglio. Se proprio capisci che quel suggerimento è sbagliato o non ti può in nessun modo far migliorare allora ok, puoi accantonarlo. Ma non dare mai niente per scontato. Anche il parere di qualcuno che proprio non ha mai preso in mano una chitarra può cambiare il tuo modo di suonare o rivelare una tua debolezza che potresti aggiustare.

Questo non vale solo per il mondo della chitarra. Vale per qualsiasi cosa.

Nella mia vita ho preso tante decisioni che le persone facevano fatica ad accettare nel momento in cui le ho prese. Mi sollevavano una marea di dubbi. Per esempio quando ho mollato un lavoro a tempo indeterminato, in piena crisi economica (nel 2009), per fare una prova di 6 mesi con un'altra azienda. Ripeto... una prova! Potevano lasciarmi a casa quando volevano.

Immagina le facce dei miei familiari quando ho detto cosa avrei fatto, pur non conoscendo in nessun modo il mondo in cui lavoravo. Sono il più piccolo di 3 fratelli. Immagina quante cose mi hanno detto.

"Hai un lavoro sicuro!"
"C'è la crisi adesso, cosa succede se poi ti lasciano a casa?"
"Ma sei tutelato?"
"Quanti soldi ti danno?"
"Li conosci bene questi qua?"
"Fai così..."
"Fai colà..."

E avanti di questo passo. Non è stato facile ovviamente. Sono sicuro che almeno una volta nella vita ti sia capitata una cosa del genere e tu possa capire. È facile innervosirsi in questi casi. Però nel caso della mia famiglia so che mi hanno detto quelle cose solo per proteggermi, così ho ascoltato tutto quello che dicevano. Ho ascoltato ed analizzato. Alcune cose erano oggettivamente delle cavolate.

Altre cose magari erano più intelligenti ed effettivamente mi hanno aiutato un po'. Alla fine ho comunque preso la mia decisione ed a distanza di molti anni nessuno dice più niente su quella mia scelta. Amici e conoscenti compresi.

Sapevo, dentro di me, che quello che stavo facendo era rischioso, ma era giusto provarci. In ogni caso non ho dato nulla per scontato, ed ho ascoltato tutte le obiezioni che mi sono arrivate. Da qualsiasi persona. Però poi la mia scelta l'ho fatta da solo.

Non ti dico poi cos'è successo quando ho deciso di licenziarmi di nuovo per mettermi in proprio. Va beh, ma non parliamo di me, voglio parlarti... di un mio amico!

Non siamo ancora arrivati al vero nocciolo di questo capitolo. Ci arriveremo grazie all'esperienza di questo mio amico che chiamerò con il suo soprannome: Tadde (puoi sentire la sua voce nella puntata del podcast "Chitarra da Bar" in cui parliamo di donne alla chitarra). Ma, ancora prima di arrivare a lui bisogna nominare Silvia, una cantante molto brava di Padova che aveva cominciato a seguire Chitarra Facile per accompagnare la propria voce con la chitarra e dopo aver scoperto che anche io vivevo a Padova mi contattò per chiedere se conoscevo un bassista che potesse suonare con il suo nuovo gruppo in stile "New Country". Silvia mi disse che erano quasi tutti semi-professionisti (o forse erano tutti professionisti, non ricordo bene).

Io così ho pensato che il mio amico Tadde non avrebbe dovuto perdere l'occasione di suonare con un gruppo con un livello così alto di professionalità. Se fosse capitato a me avrei accettato sicuramente, solo per la grande opportunità di poter suonare con persone che avevano certamente una grande esperienza alle spalle, e da cui avrei assorbito sicuramente qualche nozione o abilità nuova.

Il "forte e possente" Tadde (non posso raccontarti la verità su questa citazione, ma sappi che questo mio amico è un vero e proprio armadio di uomo, come d'altronde la maggior parte dei bassisti... chissà perché!) accettò di suonare con loro.

Una sera, prima che iniziasse le prime prove con il gruppo, parlando con un altro nostro amico batterista, Mengo (ma perché devo avere degli amici con dei soprannomi così strani?) venne fuori questo discorso del gruppo New Country. Io dissi di essere molto felice di questa opportunità di crescita per Tadde, ma subito lui mi spense con una frase che suonava pressappoco così: "Va beh ma cosa mi possono insegnare dei professionisti sul country? Devo fare 4 note a canzone!".

È vero, il ruolo di un bassista all'interno di un gruppo New Country non è così ambizioso, ma quello che Tadde ignorava al tempo e di cui invece io e Mengo eravamo assolutamente convinti, era che quando qualsiasi persona suona con dei professionisti, si rende conto di quante cose si danno per scontate e che invece sono dettagli che ad un certo livello non possono essere trascurati. Vengono a galla tutte quelle imperfezioni che un musicista non-professionista ritiene di poco conto, o addirittura non conosce proprio.

E così, è stato. I componenti del gruppo gli hanno riscontrato un piccolissimo problema di tempo che doveva essere aggiustato. Soprattutto quando suoni un genere musicale che si avvicina al POP, come in questo caso, se vuoi fare le cose fatte bene, il tempo è fondamentale. Aspetto musicale che, per uno che arriva dall'Hard Rock, era sempre passato in secondo piano. Diciamo che nel genere Hard Rock una minima imperfezione di timing non distrugge l'esecuzione dell'intero gruppo.

Comunque Tadde, oltre ad essere "forte e possente" è anche una persona molto intelligente. Ha capito la lezione ed ha ammesso apertamente che avevamo ragione. Era molto contento di lavorare su quel dettaglio per migliorare le proprie esecuzioni. E devo dire che ha fatto un ottimo lavoro perché io, con il passare del tempo, ho sentito un cambiamento molto positivo nel suo modo di suonare.

La morale di questa storia è che qualsiasi sia il tuo strumento musicale non si smette mai di imparare e migliorare. Per questo motivo non bisogna mai dare nulla per scontato. Se pensiamo che perfino John Petrucci, Steve Morse, Mark Knopfler, Van Halen, Paul Gilbert e David Gilmour continuano a studiare e cercare di migliorarsi, non vedo perché non dovremmo farlo anche noi poveri ed umili hobbisti.

Inoltre, è molto più motivante ed emozionante continuare a migliorarsi, perché ogni volta scopri qualcosa di nuovo ed interessante. Ogni volta che progredisci in qualche aspetto del tuo modo di suonare, o scopri delle tecniche nuove...

ti si apre un mondo di opportunità musicali che ti faranno divertire molto più di prima!

STORIE DI NEO-CHITARRISTI

Ciao, sono Mario. Ho sempre avuto il desiderio di suonare la chitarra ma le difficoltà che incontravo mi facevano desistere.

Quando alla mia veneranda età di 71 anni ho deciso di tentare con il corso di David, sia online che scritto, ho cominciato a capire qualcosa della musica e solo il fatto di potermi addentrare nel mondo delle note mi sta galvanizzando.

Non nego che ancora sono solo all'inizio e vado molto lentamente, ma ciò non mi preoccupa perché per me costituisce innanzitutto un modo per impegnare il tanto tempo libero che ho a disposizione.

Trovo il corso di David estremamente semplice e intuitivo al contrario di altri corsi. Vi mostro una foto di come mi sono organizzato.

Sono fiducioso che in Paradiso ci sia un posto privilegiato per i chitarristi.

Ciao Mario

Si può fare a meno della teoria musicale?

"La maggior parte dei chitarristi rock suona ad orecchio, se una cosa suona bene... la facciamo"

Adrian Smith (chitarrista degli Iron Maiden)

"Nessuno di noi sa leggere la musica, nessuno di noi sa scriverla"

John Lennon (riferendosi ai The Beatles)

A Gennaio 2017 ero a Milano per un evento e dato che mi trovavo distante dal mio studio e non potevo fare video, ma volevo comunque comunicare con i chitarristi che mi seguono, ho deciso di fare una diretta video su YouTube dalla camera dell'albergo. Molto intima, amichevole, dove rispondevo alle domande che mi facevano sulla chitarra.

Non era la prima Live che facevo, ma era la prima fatta con il cellulare, perché fino a poco tempo fa con YouTube non era possibile. Questa divenne la prima di una lunga serie da cui sono venuti fuori addirittura dei Tutorial Live, dove un centinaio di persone aspettavano con la chitarra in mano l'inizio della lezione, e molte altre iniziative interessanti. Tra l'altro quella prima diretta con il cellulare, dalla camera d'albergo dovrebbe essere ancora visibile sul canale YouTube di Chitarra Facile nella playlist "LIVE!".

Tra le varie domande che ho ricevuto durante quella diretta durata circa 30 minuti, quella che mi risuonò in testa e mi sembrò interessante da affrontare come argomento era questa:

"Secondo te bisogna conoscere tutta la teoria o si può tralasciare qualcosa?"

Partiamo dal presupposto che tutto dipende dal tuo obiettivo finale. Vuoi diventare un chitarrista professionista? Vuoi andare a suonare in TV per grandi spettacoli? Vuoi andare in tour con grandi artisti? In tutti questi casi l'unica cosa che devi avere in testa è... Studiare un sacco, andare da un maestro in carne ed ossa che ti segua molto bene e per diversi anni. Niente autodidatta. Fare tutti gli esercizi noiosi che bisogna fare, diplomarti, ecc... Insomma, in questo caso vanno bene quei metodi di insegnamento rigidi e molto seri da cui Chitarra Facile vuole distanziarsi (non perché non siano efficaci, ma perché mi rivolgo ad un altro tipo di persone).

Se invece vuoi imparare solo per divertirti, vuoi creare canzoni tue, vuoi fare l'artista, se vuoi solo intrattenere i tuoi amici, o magari solo te stesso o te stessa... allora qui si, la questione è opinabile.

È noto infatti che ci siano tutta una serie di chitarristi molto famosi ed amati, che hanno fatto la storia, ma che non ne capiscono niente di teoria musicale. Per esempio, Adrian Smith, uno dei chitarristi degli Iron Maiden dice che "se una cosa suona bene la facciamo", niente di così complesso nella composizione dei brani. Robert Johnson, che è uno dei più famosi, importanti ed influenti chitarristi blues di sempre non ha mai studiato la musica. John Lennon, parlando dei Beatles disse che nessuno di loro sapeva leggere la musica e nessuno di loro sapeva scriverla. E per quanto riguarda i Beatles, di certo, non serve che ti dica quanto siano stati importanti per la musica.

Se cerchi su YouTube "Chitarristi Famosi Autodidatti" troverai anche un video che ho realizzato dove ne cito 5 raccontando brevemente anche alcuni aneddoti su di loro.

Ma questi che ti ho citato poco fa sono personaggi che forse non senti tanto vicini a te, perché noi tutti li vediamo come extraterrestri capaci di fare cose che noi umani non possiamo neanche immaginare. Perciò ti parlerò di qualcuno che è molto più terra terra. Un mio carissimo amico, Alex, aveva un gruppo Pop-Rock con cui suonava e cantava canzoni scritte da loro. Hanno avuto un discreto successo in zona e così hanno deciso di fare le cose un po' più seriamente. Quindi primi contatti con case discografiche, i primi video (quando ancora fare un video non era così semplice come adesso) e soprattutto... primi contatti con il mondo SIAE.

Per iscrivere le canzoni alla SIAE, almeno in quegli anni, bisognava anche fare una bozza di spartito del tema principale del brano. Per fare questo "bellissimo e assolutamente molto divertente" lavoro, hanno ben pensato di chiamare me. Quindi ci siamo trovati a casa di Alex con il gruppo. Lui mi suonava le canzoni ed io le trascrivevo. Ho cominciato quindi dalla melodia e ho iniziato a scrivere, ma poi ad un certo punto avevo un dubbio su una parte e così gli ho chiesto:

"Aspetta, ma qui che accordo fai in questa parte del brano?"

E la risposta fu:

"Faccio questa cosa qui. Metto le dita così."

In pratica stava facendo un banalissimo SOL, ma non lo sapeva. Non conosceva i nomi degli accordi e probabilmente non sapeva neanche che fossero accordi. Pazzesco! Io ero allibito! Ma nel senso buono! Questo mio amico riusciva a scrivere canzoni, cantava, aveva un gruppo con cui suonava e stava anche facendo dei buoni passi in avanti e... non aveva la minima idea di cosa stesse facendo musicalmente parlando. Andava sempre ad orecchio ed a tentativi.

E ti assicuro che Alex (e lui stesso potrà confermartelo), non era assolutamente un genio della musica. È un bravo artista, un creativo, un appassionato di musica. Questo per farti capire che anche tra le persone "normali" c'è chi riesce a fare musica e suonare anche senza conoscere niente di teoria musicale (e neanche di tecnica di chitarra)!

ATTENZIONE PERÒ! Devi tenere conto di una cosa molto importante. Perché più teoria e tecnica sviluppi e maggiore sarà il divertimento. Più conoscenza hai e meno ci metterai a scrivere un capolavoro. Più capisci la musica, più facile sarà per te esprimere le tue emozioni. Più tecnica hai con la chitarra e più possibilità di scelta avrai nel dare espressività al tuo brano o al tuo assolo.

Quindi, è vero che teoria e tecnica non sono tutto. È vero che c'è anche chi ce la fa senza studiare. È vero che possiamo tutti divertirci anche senza essere dei professori di musica. Ma io ti suggerisco con tutto il cuore di studiare ed esercitarti di più. Più teoria e più tecnica. Non sto dicendo che "devi" farlo. Il mio è un invito ed un consiglio.

Perché ogni volta che impari qualcosa di nuovo ti si apre un mondo. Ogni volta che scopri delle tecniche o delle teorie musicali nuove ti si illumineranno gli occhi al solo pensiero di quello che potresti creare sfruttando quelle nozioni musicali. Riuscirai a trasmettere molto meglio le tue emozioni.

Se possiedi più tecnica con la chitarra, volendo potrai fare molte più cose e quindi puoi anche sfruttare meglio la tua personale creatività. Non devi farlo per forza o fare cose complicate solo perché hai una buona tecnica. Devi mettere la tecnica al servizio del brano e dell'atmosfera che vuoi creare attorno ad esso.

Si studia e si fa pratica per avere più possibilità ed un bagaglio artistico molto più ampio.

Per poter comunicare meglio con il linguaggio della musica devi costantemente aver fame di imparare.

STORIE DI NEO-CHITARRISTI

Ciao, mi chiamo Mara Zanardi.

Per vari impegni personali non ho tempo di prendere lezioni da un maestro in carne e ossa. Così girando per il web mi sono imbattuta sul blog di Chitarra Facile ed ho iniziato a guardarmi vari video tutorial.

Li ho trovati chiari e davvero ottimi per principianti come me. Da qui la voglia di mettersi in gioco ed iniziare un vero e proprio corso.

Ho acquistato quindi "Chitarra in 30 Giorni" e devo dire che, anche se sono ancora alle prime lezioni ne sono davvero soddisfatta. La comodità di avere le lezioni dove e quando vuoi, con anche la possibilità di scaricarti i video è impagabile. Le spiegazioni sono alla portata di tutti e davvero comprensibili.

Inoltre il manuale cartaceo è davvero utile per avere un richiamo delle varie lezioni e gli esercizi. Sono molto soddisfatta e lo ricomprerei.

Mara Zanardi

PARTE 5:
COSA SUCCEDERÀ IN FUTURO?

NON RIUSCIRAI A SBARAZZARTENE

"Puoi allontanarti momentaneamente dalla chitarra, ma prima o poi lei verrà a cercarti"

David Carelse

Quando impari a suonare la chitarra succede qualcosa di speciale. Cambia il mondo attorno a te, perché tu lo guarderai con occhi diversi.

Hai presente come ci si sente quando ci si innamora? Soprattutto all'inizio, quando ti innamori per la prima volta di una persona. Quando poi l'amore è ricambiato vedi il mondo con occhi diversi, tutto è più colorato, qualsiasi oggetto, persona o esperienza ti sembra più bella, i problemi ti scivolano addosso, ecc...

Ecco, quando cominci a suonare delle canzoni con la chitarra e quindi stai creando musica da zero, tutto cambia e da quel momento sarai una persona diversa e migliore.

Il problema è che nella maggior parte dei casi le persone iniziano a suonare prima dei 25 anni. Ci sono molte persone che si iscrivono al mio corso gratuito che hanno più di 45 anni, ma nella maggior parte dei casi, queste persone avevano già provato tempo addietro a suonare e poi hanno deciso di riprendere in mano la chitarra dopo diversi anni.

Questo succede perché quando inizi prima dei 25 anni non hai la minima idea di come potrà essere la tua vita nel futuro, che si parli di un anno o 10. Mentre è più facile (ipoteticamente) programmare un po' di futuro o sapere come organizzarsi dopo i 30 anni.

Succede quindi nella prima fase della vita che subentri un lavoro, oppure gli esami di maturità, oppure l'università, un trasloco o qualsiasi altra cosa che stravolge i propri schemi e le proprie abitudini. E questo ci allontana dai nostri hobby principali per trovare il tempo per stare dietro al cambiamento, che comunque è (nella maggior parte dei casi) un cambiamento positivo.

Anche a me è successo di allontanarmi dalla chitarra nel momento in cui ho cominciato a lavorare come grafico pubblicitario in modo stabile dopo le superiori.

Ci tengo e ho sempre tenuto a fare bene il mio lavoro, per questo mi sono dedicato anima e corpo ad esso nel momento in cui ho cominciato seriamente. Questo, inizialmente, mi ha tolto ogni energia per seguire i miei hobby.

Non sto dicendo che se hai un lavoro che ti prende tempo, sei una persona ambiziosa o hai grandi progetti non puoi trovare anche il tempo per suonare. Il problema è solo all'inizio, quando ti trovi nel momento del cambiamento e devi riorganizzare tutte le tue abitudini, i tuoi tempi, ecc...

Il primo impatto ti disorienta sempre, soprattutto quando passi dallo studio al lavoro. Poi cominci a capire come organizzarti, come far combaciare alcuni momenti, come prenderti i tuoi spazi ed a quel punto tutto riprende ai ritmi normali.

Ed è incredibile come, anche quelle persone che con grande convinzione mettono da parte la chitarra, alla fine tornino a pensarci, riprendendola di nuovo in mano. Cambia solo il tempo che ci impiegano a iniziare nuovamente a suonare la chitarra.

Come dice la mia citazione all'inizio del capitolo (tratta da un'immagine che avevo messo sulla pagina Facebook)... "Prima o poi Lei verrà a cercarti!". Dove "Lei" è appunto la chitarra.

Ovviamente non viene a cercarti materialmente, ma è come se in qualche modo, ogni giorno ti chiamasse ed alla fine dopo tanto tempo tu debba cedere e non riesca a fare a meno di imbracciarla e suonarla, creando di nuovo quella musica che ti aveva colorato le giornate quando hai iniziato a suonare.

L'impatto emotivo iniziale con la chitarra è talmente forte che non si scorda mai. Proprio per questo ti avverto... dal momento in cui inizi a suonare abbastanza bene fai attenzione, perché non riuscirai più a sbarazzarti di quello strumento meraviglioso!

Quindi non sono qui a dirti di non mollare mai la chitarra. Ti dico solo che devi sapere che prima o poi non potrai fare a meno di suonarla di nuovo, quindi... perché abbandonarla e fermare il tuo percorso adesso? Se ti fermi più avanti te ne pentirai!

È difficile da capire per chi non ha ancora iniziato. È un'esperienza quasi magica. Si crea un legame tra te, la chitarra, la musica e le tue emozioni... Stupendo. È amore!

STORIE DI NEO-CHITARRISTI

Ciao, sono Giovanni.

La mia passione per la musica risale a molti anni fa quando c'era ancora mio padre perché per passione cantava ai matrimoni, anche al mio.

Purtroppo ho ereditato solo la passione per la musica non la voce, sono un autodidatta non ho mai fatto un corso per vari motivi, alcuni mesi fa mi sono imbattuto nel corso "Chitarra in 1 Ora" di David ed ho pensato "perché no?", visto che da lì a pochi mesi sarei andato in pensione (questo mese compirò 60 anni).

Devo dire che parlando con alcune persone mi è stato detto: "ma va un corso online senza un maestro che ti segue ogni momento!". Io ho comunque tirato dritto per la mia strada ed eccomi qui, cerco di ritagliarmi un po' di tempo ogni giorno da dedicare alla chitarra.

Sai che soddisfazione quando mia moglie mi ha detto "ora sì che suoni!". Una gioia indescrivibile!

Devo dirti un grazie infinito perché mi hai fatto tornare la voglia di suonare, è un modo per dimenticare anche se solo momentaneamente i vari problemi che ho dovuto affrontare in questi ultimi due anni, ma non voglio dilungarmi troppo.

Che altro dire? Continua così a dare il tuo contributo a chi abbia voglia di intraprendere questo bellissimo viaggio che è la musica.

Nella foto, l'ultima arrivata, ciao e buona musica a tutti!

Giovanni Palmisano

PERCHÉ LA CHITARRA E NON UN ALTRO STRUMENTO?

"Non c'è niente di più bello di una chitarra, eccetto forse due."

Fryderyk Chopin

"Nessuno potrà mai avere il tuo suono con la chitarra, perché se anche hanno la tua chitarra, non avranno mai le tue dita."

David Carelse

La chitarra, tra gli strumenti musicali, è forse quello più diffuso nelle case degli italiani e non solo. Probabilmente perché è lo strumento perfetto per accompagnare una melodia, una voce o un gruppo di amici che cantano. La chitarra è perfetta per un artista o cantante che voglia scrivere canzoni. Chi non ha in testa l'immagine di un cantautore che scrive e canta le proprie canzoni con la chitarra?

Il problema è che il fatto che la chitarra sia così popolare, fa si che questa venga un po' sottovalutata e forse anche ritenuta uno strumento "banale".

Io non ho iniziato a suonare la chitarra per dei motivi specifici. Non ho ragionato su quale fosse lo strumento migliore, anzi, io ho iniziato con la tastiera prima della chitarra. Ho deciso di imparare a suonare la chitarra per caso, per curiosità e per passione della musica in generale, come ho scritto all'inizio del libro.

Ma la verità è che anche dopo aver conosciuto, studiato e suonato anche altri strumenti, sono convinto che la chitarra sia uno degli strumenti più interessanti. Soprattutto per un motivo semplice, ma per me molto importante.

L'aspetto fondamentale, che contraddistingue alcuni strumenti come la chitarra dagli altri è principalmente uno:

"Nessuno potrà avere mai il tuo suono, perché anche se qualcuno prenderà in mano la tua chitarra non potranno mai avere le tue dita ed il tuo corpo."

Infatti, l'aspetto magico della chitarra (come anche alcuni altri strumenti, come il violino per esempio) è che mentre suoni hai il contatto diretto con lo strumento e con ciò che produce effettivamente il suono.

Sono le tue dita che creano il suono.

Il tuo corpo appoggiato alla chitarra fa risuonare quest'ultima in modo totalmente unico! Si, quando suoni la chitarra stai creando delle melodie uniche e direttamente riconducibili a te!

Differente, invece, è quando suoni un pianoforte o una batteria. Nel primo caso schiacci dei tasti che per produrre il suono fanno muovere dei martelletti che colpiscono la corda che non tocchi con le tue dita. Nel secondo caso utilizzi delle bacchette che percuotono la pelle del "tamburo". Diverso è quando suoni i bonghi per esempio.

C'è anche un altro aspetto molto importante che deriva da questa stupenda connessione tra persona e musica. Con la chitarra, avendo il diretto contatto con la corda che emette il suono, puoi modificarla in mille modi diversi. Ancora di più nelle chitarre fretless (senza tasti).

Sarebbe più facile per me mostrartelo con una chitarra, ma per esempio, quando suoni una nota, puoi eseguire un vibrato spostando in alto ed in basso la corda con la mano sinistra. Questo movimento può essere ampio, stretto, veloce, lento ed il tocco può essere deciso, pesante, leggero, indeciso... Tutte queste variabili creano un suono ed un risultato a livello musicale totalmente unico, irripetibile ed inimitabile.

Poi, a parità di tutti gli altri fattori e di quelli di cui ti ho appena parlato, che sono tecniche di espressione, se tu ed un tuo amico suonate la stessa nota, nella stessa maniera, con lo stesso tocco e con la stessa tecnica... la nota suonerà comunque diversa, anche se la differenza non sarà così evidente a tutti. La stessa nota, eseguita nello stesso modo suonerà diversa perché il dito che preme la corda è diverso, il corpo della persona su cui si appoggia il corpo della chitarra sarà diverso. Anche solo l'acqua che hai bevuto prima di suonare, il cibo che hai ingerito durante il giorno... sono tutti fattori che possono influire in modo molto diretto sul suono.

Quando crei musica con la tua chitarra, stai creando qualcosa di assolutamente UNICO. Pensaci! Sei l'unica persona al mondo che può creare quel suono. L'unica!

STORIE DI NEO-CHITARRISTI

Ciao, sono Francesca da Milano.

Io ho da sempre strimpellato la chitarra però comunque sia mi mancavano dei tasselli base in generale come ad esempio: "come conoscere le varie singole note su ogni corda per poi creare gli accordi" ed ho sempre avuto difficoltà con i barrè.

Ma grazie ai video del corso "Chitarra in 30 Giorni" sono riuscita a comprendere molte cose. Ora, come dice sempre David, e come sto cercando di fare, bisogna avere costanza nell'esercitarsi almeno un'ora al giorno. Credo già di essere migliorata abbastanza!

Oltre alle varie lezioni di questo corso di "Chitarra in 30 giorni" mi è arrivato in brevissimo tempo il manuale cartaceo. Non me lo aspettavo: sono stati velocissimi! :)
Il manuale è molto chiaro, pratico e leggibile, sono rimasta molto contenta, Grazie!

Consiglio a chiunque di acquistare questo corso anche perché oltre ai video-tutorial ed al manuale cartaceo, che sono collegati al corso stesso, David è sempre pronto a dare consigli qualora io ne avessi bisogno e inoltre settimanalmente sono sempre aggiornata ed invitata a seguire nuovi tutorial sul canale YouTube di Chitarra Facile e sul gruppo privato di Facebook.

Grazie ancora.

Francesca

Suonare la chitarra rende le persone migliori

"Se tutte le persone per legge dovessero imparare a suonare la chitarra, vivremmo in un mondo migliore"

David Carelse

Ci sono molti aspetti del suonare la chitarra che indirettamente portano dei benefici molto interessanti alla tua persona, al tuo carattere e molto più in pratica... al tuo cervello.

Prima di tutto imparare a suonare la chitarra è una sfida che pochi hanno il coraggio di affrontare. Come in ogni prova, se vuoi ottenere dei risultati devi anche crescere come persona. Per esempio, in questo libro abbiamo parlato di tante strategie di miglioramento personale come la gestione del tempo, la gestione delle emozioni, la mentalità del chitarrista vincente... sono tutti aspetti che vorrai migliorare per applicarle al tuo percorso da chitarrista e raggiungere risultati sempre più grandi, ma la cosa formidabile è che nel frattempo stai migliorando anche in tutti gli ambiti della tua vita e quando ti troverai di fronte ad altre tipologie di prove, sarà molto più facile per te, perché ti comporterai in modo automatico come hai fatto con le grandi sfide che ti mette di fronte il mondo della musica!

Quindi il primo aspetto è questo, la sfida del suonare la chitarra ti porta ad avere una personalità più determinata, più forte, ti mette nelle condizioni di imparare a gestire il tuo tempo al meglio e tutte queste cose portano anche al secondo aspetto fondamentale... l'aumento dell'autostima.

L'aumento dell'autostima è un aspetto molto delicato, ma è anche un'arma a doppio taglio, nel senso che l'esperienza con la chitarra può dare o anche togliere autostima.

Infatti questo, dal mio punto di vista, è uno dei principali problemi importanti dei corsi di chitarra super seri, noiosi e difficili. Io sono certo che se una persona vuole fare il chitarrista di professione DEVE seguire un metodo molto rigido, però c'è anche da dire che la maggior parte dei corsi di chitarra riescono a finirli in pochi. È dura arrivare ad ottenere anche solo i primi risultati.

I "Chitarristi Guru" di cui abbiamo parlato nel capitolo delle persone che ti ostacolano, dicono spesso che "se veramente vuoi suonare allora devi essere disposto a superare anche quelle difficoltà". Ok, però queste persone (che ovviamente parlano in questo modo solo perché sono già riusciti a superare le prime difficoltà) non pensano al fatto che il 99% delle persone che non vanno avanti nel percorso ed hanno mollato definitivamente con la chitarra, si trovano un'autostima molto danneggiata.

Si, perché sono partiti da una passione grande per la musica, con grande entusiasmo e poi hanno "fallito". E l'autostima, si sa, si forma con le esperienze. Ogni volta che ottieni un risultato positivo la tua autostima cresce, ogni volta che ne ottieni uno negativo, l'autostima viene un po' messa in discussione. E quando sei molto giovane, un'esperienza del genere può segnare molto di più il futuro della persona.

Ecco perché io mi sono sempre battuto per cercare di far capire al mondo che il metodo di chitarra classico, quello sempre esistito, andava rivisto. Ecco perché ho creato il mio metodo di insegnamento che non tiene conto solo della tecnica, ma è studiato nei minimi dettagli per far crescere la propria autostima, evitando in qualsiasi modo di minarla.

Confrontandomi anche con molti altri musicisti, professionisti e non, tutti mi hanno confermato la stessa cosa. I metodi di insegnamento tradizionali per imparare uno strumento, nel 90% dei casi distruggono la tua motivazione e di conseguenza distruggono la tua autostima.

Non vorrei sembrare troppo tragico, ma immagina un ragazzino di 10 anni... un forte calo di autostima può distruggere la sua vita futura o comunque limitarla esponenzialmente.

Le persone che invece si iscrivono al corso gratuito su www.chitarrafacile.com mi scrivono ogni giorno che è stato fantastico, in poco tempo hanno suonato qualcosa ed è stato molto emozionante! Da quel momento in poi la strada è tutta in discesa! Le persone, a quel punto, come è giusto che sia, hanno la certezza di potercela fare. Tutti dovrebbero avere questa convinzione, solo che al posto di provare a convincere le persone di questo, ho creato un primo corso gratuito che te lo fa capire tramite un'esperienza divertente ed emozionante.

Carattere, autostima e poi? Intelligenza. Si, sto dicendo che suonare la chitarra, anzi, nello specifico "improvvisare" rende più intelligenti ed ora ti spiego il perché.

Per anni si è detto che esistono l'emisfero destro e l'emisfero sinistro nel nostro cervello. Quello destro più creativo, non verbale, artistico, vivace e spaziale. Quello sinistro più analitico, logico, pratico, razionale, organizzato. In realtà questa teoria è vera solo in parte, addirittura oggi si parla di cervello alto e basso, ma il concetto che ti sto per dire rimane valido.

All'indirizzo **www.improvvisazionefacile.com** spiego esattamente con un video di circa 13 minuti, come funziona l'improvvisazione con la chitarra (e con altri strumenti melodici). Ti farò una sintesi qui, ma ti prego di visitare quell'indirizzo se vuoi avere più informazioni.

In pratica funziona in questo modo: un brano semplice ha una tonalità di riferimento (possono anche esserci brani più complessi con diverse tonalità) e per ogni tonalità abbiamo delle scale, ossia "insiemi di note" che possiamo utilizzare per improvvisare. Per fare ciò, dovrai scegliere e suonare a tuo piacimento le note che trovi all'interno delle scale.

Ok, sarebbe più complesso di così, ma in sostanza e spiegato velocemente, fai finta che sia così.

Ecco, come hai potuto intuire, un chitarrista che improvvisa deve poter utilizzare al meglio entrambi gli emisferi celebrali. L'emisfero più razionale e logico dovrà intuire quali sono le note che si possono eseguire all'interno di quell'improvvisazione e individuare il momento in cui bisogna eseguirle, mentre l'emisfero più creativo deve decidere come mettere insieme ed in sequenza quelle note tali da produrre e trasmettere un'emozione.

Non è spettacolare la musica vista in questo modo?

Ed è incredibile come la musica stessa possa migliorare una persona.

Ovviamente l'utilizzo e lo sviluppo di entrambi gli emisferi celebrali porta l'individuo ad aumentare molto le proprie capacità cognitive.

Ricapitolando abbiamo visto come il fatto di suonare la chitarra, che per molti è visto esclusivamente come un hobby che porta via tempo alle persone, sia in realtà un'attività che migliora le persone sotto diversi aspetti: prima di tutti il carattere, in secondo luogo l'autostima ed infine l'intelligenza.

STORIE DI NEO-CHITARRISTI

Grazie caro David, ti ringrazio tantissimo, ***sei davvero una persona onesta che lavora per passione!!!*** *Non ce ne sono molte…*

Il corso va bene, davvero molte cose non le sapevo proprio, dopo metà corso sto imparando moltissimo, gli amici con cui suono mi dicono che la velocità è aumentata, che la diteggiatura nell'ultimo anno è cambiata molto… inizio a fare qualche assolo, trovo le scale delle tonalità delle mie canzoni preferite… fantastico direi!

È una soddisfazione enorme per divertirsi con gli amici!

Una lode al tuo corso "Velocità Intensive Training" che è davvero fondamentale! Nel mio caso è proprio ciò di cui avevo bisogno, ti da uno schema da seguire costante e progressivo. Direi quindi che sono molto contento perché si impara davvero!

Adesso sono finalmente in ferie e quindi cercherò ogni giorno di studiare di più. Ti confermo che attenderò sempre con gioia i tuoi nuovi corsi o libri.

Grazie mille e a presto,

Andrea Boaretto

SUONARE LA CHITARRA TI CAMBIERÀ LA VITA.

"Condividere con uno strumento tutte le tue emozioni, dalla più piacevole alla peggiore. Sapere che grazie alla chitarra ci sarà sempre un luogo da cui queste emozioni prenderanno vita. Per me, ciò che suoniamo è il vero specchio della nostra anima"

Linda (chitarrista iscritta alla pagina Facebook di Chitarra Facile)

So che è difficile da capire se ancora non hai cominciato a suonare. Se hai iniziato da poco forse lo hai già notato. Suonare la chitarra ti cambia la vita!

Se penso a come sarebbe stata la mia vita se non avessi mai imparato a suonare la chitarra... mi viene l'angoscia. Grazie a Lei ho vissuto storie d'amore, ho trovato amicizie eterne e fraterne, ho fatto esperienze indimenticabili come suonare al teatro Verdi di Padova completamente pieno, ma anche semplicemente fare il buffone per far divertire gli amici in vacanza. Ho imparato quanto costa una passione in termini economici e quanto si è disposti a fare e rinunciare pur di alimentarla. Ho capito l'importanza dell'impegno e della costanza. Crescendo come autodidatta ho imparato l'autodisciplina.

Ma credo che sia comunque poco credibile il fatto che queste cose te le venga a dire io. Troppo semplice. Anche perché io ho iniziato da bambino, ma se qualcuno inizia dopo una certa età? La chitarra può cambiarti la vita ugualmente?

Non sarò io a dirtelo.

In 2 occasioni ho chiesto alle persone che mi seguono su internet più o meno la stessa cosa, ovvero "*Cosa ti piace della chitarra e come questa ti ha cambiato la vita?*". Nel primo caso l'ho chiesto su un post sulla pagina di Facebook (una delle risposte la vedi come citazione di questo capitolo), nel secondo caso ho chiesto di mandarmi un video (puoi vedere il video cercando "Suonare la Chitarra Ti Cambia la Vita" su YouTube e troverai un video dal canale di Chitarra Facile).

Adesso voglio trascriverti qui alcune delle frasi più belle scritte o dette da chitarristi di ogni tipologia. Chi ha iniziato da bambino, chi ha preso in mano la chitarra a 30 anni come hobby dopo il proprio lavoro in ufficio, chi ha cominciato in pensione, ecc... La chitarra non cambia la vita solo ad alcune persone. La cambia a tutti.

Ovviamente ognuno avrà le proprie esigenze ed i propri desideri, con cui a volte potresti non trovarti d'accordo, ma è proprio questo il bello. Ognuno trova "pane per i propri denti" quando comincia a suonare!

Ecco un po' di frasi provenienti dal "popolo di Chitarra Facile":

"Posso finalmente dimostrare agli altri che valgo qualcosa, che so fare qualcosa. Quando finisco di suonare e vedo le loro facce, finalmente capisco che non sono una nullità totale."

Luca

"Quando suono non penso a nulla, mi piace e mi rilassa tantissimo. Passerei ore ed ore a suonare. E sono solo all'inizio..."

Federico

"La sensazione di leggerezza che solo il vibrare della cassa armonica sulla pancia può regalare."

Elia

"Nonostante una discreta fatica fisica, l'enorme senso di soddisfazione che ti da e soprattutto il senso di soddisfazione che ti lascia"

Fabio

"Cosa mi piace? Già il fatto di emettere dei suoni più o meno intonati con uno strumento. Poi c'è la soddisfazione dopo tanto impegno, la conoscenza del proprio strumento e la curiosità del suo funzionamento compreso

di test e vari esperimenti di setup. Anche il solo cambiare le corde per poi intonarle ed accordarle. Ce ne sono tante di cose belle della chitarra e di tutto ciò che ci gira attorno, anche la conoscenza di altra gente conosciuta grazie ad essa."

Gianfranco

Dal video "Suonare la Chitarra Ti Cambia la Vita" (ti consiglio di vedere il video, anche perché qui, per iscritto, si capisce poco l'ironia):

"Suonare mi diverte, mi diverte molto. Più imparo, più mi diverto."

"Tra poco andrò in pensione e visto l'ammontare della mia pensione, suonare per strada mi sarà di aiuto per sbarcare il lunario! Andare in giro con un'arpa sarebbe un po' più complicato."

"È da quando avevo 16 anni che voglio imparare. Ho ancora 16 anni mentali... ce la posso fare."

"Questa passione mi rilassa tantissimo. Specialmente dopo 6 ore all'università."

"Vi fa stare molto, molto bene, vi fa sfogare, vi fa divertire"

"La chitarra ti svolta le serate, basta anche una birra, una chitarra ed un falò… e non mi dite che non l'avete mai fatto!"

"Se riesco a suonare in un locale… non mi fanno pagare da bere!"

"Mi permette di condividere con mio figlio questa passione. Entrambi suoniamo vari strumenti, ma la chitarra è quella che ci lega di più. E poi un paio di anni fa in treno abbiamo conosciuto Marco, un ragazzo che fa concerti in tutta Italia ed anche all'estero. Noi ci stavamo portando in vacanza una chitarra acustica per strimpellare qualche canzone e abbiamo improvvisato insieme qualche canzoncina nel vagone del treno, tanto che siamo ancora rimasti in contatto."

"Puoi esprimere i tuoi sentimenti. È una valvola di sfogo."

"Quando ascoltavo una canzone, mi concentravo sempre sul chitarrista e non sul cantante"

"Credo che chiunque può imparare a suonarla ed è anche una soddisfazione quando voi

imparate a suonare una canzone che vi piace e la fate sentire ai vostri amici"

"Io sono stonatissimo, però mi piacciono le canzoni, mi piace la musica... quindi faccio cantare LEI"

"Mi ha permesso di conoscere persone nuove"

"Con la chitarra si cucca"

"Ti apre la mente".

STORIE DI NEO-CHITARRISTI

In una settimana, *a patto di studiare ogni giorno,* ***il miglioramento è stato netto.*** *Trovo che sia fondamentale l'aspetto psicologico che più o meno velatamente David riesce ad imprimere in chi legge le lezioni dei corsi.*

Affidarsi ad un esperto è sempre meglio che fare da soli, è indispensabile, anche se hai talento.

I corsi di David, tutti, contengono molti trucchi, segreti e sottigliezze provenienti dalla sua esperienza personale, *condivisi solo ovviamente con i suoi allievi e quindi già questo è tanto, per un principiante, perché anche dopo dieci anni che suoni, forse alcuni non li scopriresti mai!*

PARTE 6:

ADESSO TOCCA A TE

ADESSO TOCCA A TE!

Ci siamo. Hai letto quasi tutto questo libro, magari hai trovato anche qualche cosa di utile che potrebbe aiutarti nel tuo percorso da chitarrista, ed ora, però... Adesso tocca a Te!

Il 90% dei corsi e dei libri non viene neppure finito di leggere. Fortunatamente te sei già un passo avanti. Sei una persona molto determinata, o appassionata, perché se hai letto fino a qui, hai dimostrato di essere una di quelle persone che non vogliono solo subire nella vita, ma hanno deciso di affrontare la vita, le proprie passioni e le proprie paure in prima linea.

Per questo, prima di tutto voglio farti dei **grandissimi complimenti** e ringraziarti per aver letto i pensieri e le teorie di un pazzo come me per tutte queste pagine, che non sono tante, ma richiedono un certo impegno da parte tua. Anche perché io non sono uno scrittore, ho scritto questo libro per riuscire a trasmettere dei concetti, ma probabilmente avrai trovato qualche errore tra le pagine, oppure avrai trovato qualche frase un po' complicata. Perdonami.

Secondo, vorrei spronarti a fare la cosa più importante di tutte. **Applicare.**

Se hai trovato nel libro qualcosa che ti può interessare, non esitare! Buttati, provala subito. Ripeto... subito! Parti da una piccola strategia o da un piccolo cambiamento di abitudini. Non devi applicare da adesso tutti i consigli che hai trovato nel libro perché non sarebbe possibile, ti perderesti subito e comunque non funzionerebbe.

Parti da una sola cosa, anche la più semplice. Provala. Non devi fidarti di quello che ti dico, devi testarlo sulla tua pelle, o meglio... sulla tua mente. La tua Mente da Chitarrista. Se poi otterrai dei miglioramenti e se ti piacerà, allora puoi continuare a farla, se non ti piacerà o non ti porta a nessun progresso, puoi tranquillamente abolirla e passare a provare un'altra cosa che è contenuta in questo libro.

Purtroppo sai, la sola lettura di un libro non ti porta nessun risultato in più. Mai. In nessun caso.

Il mondo è pieno di persone che "nella teoria" sanno fare tutto, sono tutti esperti, però nella pratica... non hanno ottenuto nessun risultato o miglioramento.

Uno dei lavori che ho fatto e che continuo a fare in parte, perché mi piace molto, è il consulente di internet marketing. In pratica aiuto le aziende a trovare clienti sfruttando internet. Nel mondo dei consulenti web (quelli bravi) vige una sola regola: *le chiacchere stanno a zero, contano solo i risultati.*

Un consulente può dirti quello che vuole sul perché secondo lui è meglio una strategia rispetto ad un'altra, ma l'unica cosa che importa è... "Questa strategia di cui parli, quanti soldi ha portato all'azienda?". Se la risposta non è soddisfacente può parlare quanto vuole, può avere tutte le teorie possibili, ma nessuno lo ascolterà.

È un modo di fare un po' estremo, ma effettivamente nel mondo reale funziona così. Ci saranno molte persone che dopo aver letto questo libro si sentiranno "esperti della Mente del Chitarrista" ed andranno in giro a dire come bisogna pensare e cosa bisogna fare quando una persona sta imparando a suonare la chitarra. Magari si trovano a spiegare la bella teoria del pomodoro e poi si scopre che non l'hanno mai utilizzata. Risultato… quella persona suona male, si esercita ancora peggio e si crede un esperto.

I consigli che trovi in questo libro non sono fine a sé stessi. Sono tutti suggerimenti che servono per metterti nelle condizioni di imparare o migliorare più velocemente e con una qualità leggermente migliore.

Il bello per te non deve essere quello di andare in giro a spiegare come applicare la tecnica del pomodoro alla chitarra. Quello che conta è andare, dopo alcuni giorni, da qualcuno e fargli vedere i notevoli miglioramenti che hai ottenuto in una sola settimana grazie a quella strategia di studio!

Parla sempre con i tuoi risultati, mi raccomando. Mai con le teorie.

I capitoli di questo libro sono tratti da alcuni video che ho pubblicato sul mio canale YouTube e sulla pagina di Facebook. Sono riscritti in modo completamente diverso nella maggior parte dei casi e sono molto più completi. Il fatto è che spesso le persone commentavano quei video scrivendo “Hai proprio ragione, è così che si dovrebbe fare”, ma posso scommettere che il 90% di quelli che scrivevano così, pur essendo perfettamente d’accordo, non hanno mai applicato il consiglio e quindi sono rimasti al punto di partenza.

Quindi, mi raccomando, non lasciare che questo libro sia solo un semplice passatempo, o che serva unicamente per riempire la libreria, cerca di fare in modo che proprio questo libro ti cambi la vita. È una decisione tua! Io adesso non c’entro più. Ho cercato di fare del mio meglio per trasmetterti alcuni consigli, strategie e valori, ora sta a te decidere cosa potrà darti questo libro in termini di risultati. Se non hai ancora iniziato a suonare iscriviti subito al mio corso gratuito, dura 1 ora. Fallo subito. Fallo! Non ti costa niente. Un po’ di tempo magari si, ma cosa vuoi che sia 1 ora per cominciare a cambiare la tua vita?

Se già suoni, vai su www.GuitarSniper.com e prova subito qualcuno dei consigli che ti è piaciuto in questo libro. Metti il turbo al tuo percorso da musicista!

Un augurio per il tuo futuro

Non importa che tu sia un chitarrista con l'intenzione di diventare un super professionista o che tu sia un appassionato di musica che prende la chitarra come un "semplice" hobby.

Il mio augurio è comunque lo stesso. Ti auguro con tutto il cuore che ti possa sempre divertire grazie alla chitarra. Ti auguro che la passione per la musica sia sempre più forte, perché come è stato per me e per molte altre persone, vedrai che la chitarra ti restituirà molto indietro come emozioni, divertimento, esperienze e molto altro.

Non mollare mai la tua chitarra, ricordati sempre che hai un grande potere in sole 6 corde. Non esiste ricchezza economica che tenga. La vera forza è quella di emozionarsi e poter trasmettere emozioni grazie ad una delle più belle forme d'arte che esista... la musica!

LA PAROLA AI PROFESSIONISTI

ANGELO OTTAVIANI

Decine di migliaia di iscritti nel suo canale YouTube dove pubblica tutorial spiegati in modo semplice. Fuori da internet insegna a suonare ai bambini.
Porta in giro per l'Italia diversi spettacoli musicali, tra cui "Chitarra e Voce".

Faccio i miei complimenti a David per la particolare attenzione rivolta ai principianti, l'approccio immediato sullo strumento e la capacità di immedesimarsi nell'allievo, sono il punto di forza della sua didattica.

In diverse occasioni ***ho indirizzato chitarristi alle prime armi a seguire i suoi corsi****, sicuro di ritrovarli successivamente motivati e pronti a studiare e a divertirsi con la chitarra.*

Inoltre l'imponente lavoro di comunicazione, con il sito internet, i social e il suo canale YouTube, diventa uno stimolo importantissimo per l'allievo, a proseguire lo studio anche dopo aver appreso le nozioni fondamentali.

Con immenso piacere offro il mio contributo alle sue iniziative, in quanto la mia didattica cerca, da anni, di agevolare i giovani chitarristi ad un approccio più immediato e divertente, senza togliere la possibilità all'allievo di proseguire i suoi studi in maniera più classica e accademica.

RICCARDO BERTUZZI

Chitarrista Professionista, attualmente lavora per Mediaset, ha suonato nel programma “Music” di Paolo Bonolis, ha collaborato con **Eros Ramazzotti**, Nek, Gianna Nannini, Riccardo Cocciante, **Gianni Morandi**, Paolo Belli, Loredana Bertè, **Franco Battiato**, Ron, Christian Meyer (Elio e Le Storie Tese), e molti altri...

La chitarra è uno strumento fantastico che incuriosisce a tutte le età, ma spesso i primi passi sono confusi e disorientati, e in assenza di una guida esperta e dei giusti stimoli molti rischiano di abbandonare demotivati.

A David va fatto un grande plauso, perché con i suoi corsi raccoglie con competenza e professionalità la sfida di formare i nuovi chitarristi in questa fase delicata e cruciale.

Spesso si dice che chi ben comincia è già a metà dell'opera: grazie ai suoi corsi partirete sicuramente nel modo migliore, con lezioni mirate, utili e divertenti!

LUCA FRANCIOSO

Chitarrista, compositore e scrittore, oltre 40 produzioni tra album, singoli, raccolte, DVD, manuali fingerstyle, romanzi e racconti e ha suonato in più di 1000 concerti, calcando la scena di diversi palchi in Italia, Spagna, Inghilterra, Francia, Belgio, Svizzera, Austria, Germania, Stati Uniti e Repubblica Ceca.
Ha condiviso il palco con numerosi artisti internazionali e ha partecipato ai più importanti festival chitarristici italiani.

Apprezzo molto la proposta didattica di David, così come apprezzo la sua capacità di divulgarla.

Benché rivolta ai principianti, viene sempre esposta con la competenza necessaria e, soprattutto, in modo semplice e efficace per un apprendimento graduale.

La sua capacità, inoltre, di comunicare in rete attraverso il suo blog e tutti i suoi social rendono l'esperienza formativa ancora più interessante e coinvolgente.

Credo che per chi voglia cominciare a suonare la chitarra, David sia la persona giusta a cui affidarsi.

ANNA MARIA DI LORENZO

Cantante Professionista. Ha cantato al concerto di capodanno a Milano nel 2002 **in diretta sulla RAI.**

Ogni Venerdì è **ospite in un programma radiofonico** in cui parla di come gestire la voce.

Il lavoro di David è straordinario per efficacia, immediatezza comunicativa, professionalità e lungimiranza. Non è facile trasmettere e incrementare abilità "pratiche", nonché creare empatia, attraverso il contatto "online". David ci riesce appieno, e per questa ragione apprezzo ancora di più la sua iniziativa.

Insegnando musica nelle scuole superiori, da anni conosco e diffondo tra i giovani la valenza formativa e potenziante della musica. Per questo ***consiglio ai ragazzi che vogliono approcciarsi in modo facile, efficace e rilassante alla chitarra, di affidarsi con fiducia ed entusiasmo a David e alle sue lezioni.***

Potrete muovere i primi passi con questo meraviglioso strumento in piena libertà, armonizzando i vostri impegni scolastici o lavorativi, con lo studio della musica, senza nessuno stress. E questo è già un gran successo.

*L'impostazione di questo corso, oltre ad essere solida dal punto di vista musicale, stimola e promuove nell'allievo il senso di responsabilità e di autonomia, e l'***autostima***.*

Inoltre, in qualità di cantante e voice coach, sono convinta che la "Voce" e la "chitarra" siano due strumenti, per loro natura, complementari. Per questo invito sempre chi canta ad apprendere almeno le "basi" di uno strumento agile e versatile come la chitarra, che ti permette di accompagnarti da solo e quindi di divertirti molto di più.

Così come consiglio a chi suona uno strumento, di completare la sua formazione con lo studio del canto, che sviluppa e potenzia la musicalità, il senso del fraseggio e la capacità di trasmettere emozioni!

Finito di stampare
nel mese di ottobre 2020
presso Rotomail Italia S.p.A. – Vignate (MI)